Couverture :
Slide/Cat
Abbaye de Fontenay

Pages de gardes :
Arles : cloître Saint-Trophime.

Pages 6/7 :
Fontevraud.

Page 9 :
Saint-Sernin-de-Toulouse.

Tous droits réservés :
© MOLIÈRE, Paris,
pour la présente édition.
ISBN : 2-8596-1175-4
Dépôt légal : 3ème trimestre 1996
Impression : P.P.O. - Pantin
Reliure : Ouest Reliure Rennes

Crédit photographique :

Ce livre a été réalisé avec le concours de l'agence Pix :
d'Amboise : p. 96 - Editions Arthaud : p. 17, 33 - Bénazet : pages de gardes - Cauchetier : p. 27 - Chappe : p. 125, 126 - Delon : p. 102, 103, 106, 153, 156/157 - Dezorzi : p. 31 - Gaud : p. 144/145, 146 (haut), 147 - Jolivaut : p. 65 - J.S.R. : p. 84, 154 - Labbé : p. 54, 55, 112, 114/115 - La Cigogne : p. 91, 97 - de Laubier : p. 48 - Ledanois : p. 127 - Le Doaré : p. 58/59 - Meauxsoone : p. 134, 155 - Pertuisot : p. 90 - Protet : p. 66 - Revault : p. 9, 16 (bas), 32, 40, 41, 136/137, 146 (bas) - Riby : p. 50/51, 104/105, 108, 124 - Taury : p. 95 - Téoulé : p. 16 (haut) - Trigalou : p. 113 - Vietti : p. 46/47, 49 - Zen : p. 45.

Nous remercions également l'Abbaye de Fontenay de sa gracieuse participation pour les pages 64, 68 et 69 (photos de P. Lefèvre).

Production : Judocus.

L'ART
ROMAN

Éditions de
L'OLYMPE

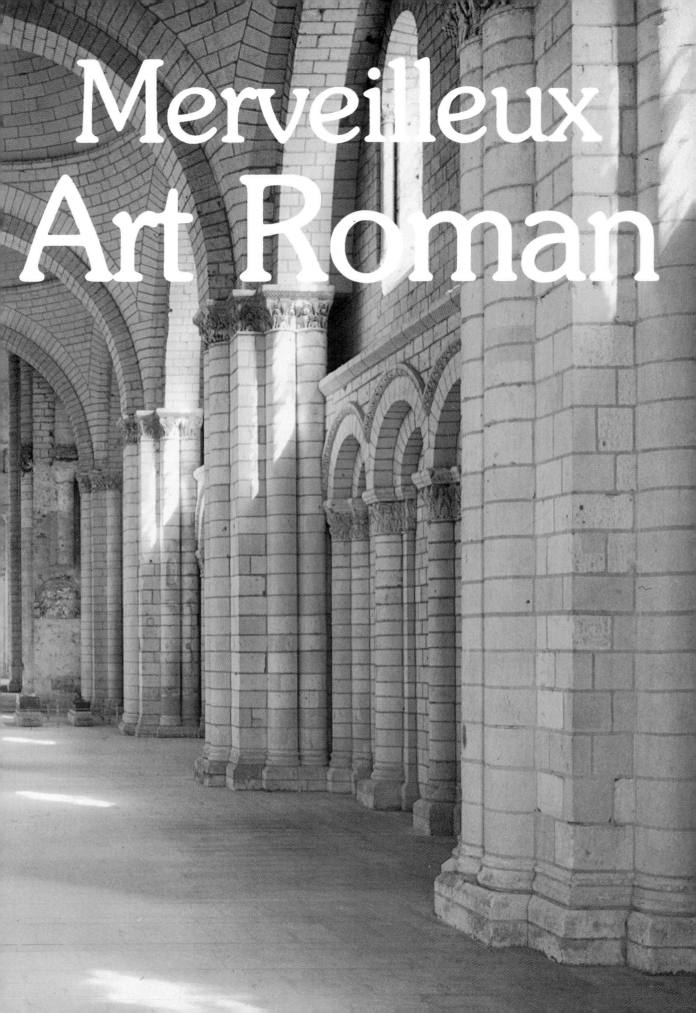

Merveilleux
Art Roman

Table des matières

Glossaire

ABSIDE : Extrémité arrondie ou polygonale de la nef principale d'une église, tournée vers l'est et contenant le chœur.

ARCHIVOLTE : Voussure d'un portail, à plusieurs retraits.

BAS-CÔTÉ : Division latérale d'une église, parallèle à la nef et de hauteur souvent moindre. Equivalent de collatéral.

BASILIQUE : Long bâtiment rectangulaire de l'Antiquité s'achevant par une abside à l'est, divisé en trois nefs et devenu église chrétienne adaptée au culte.

CHAPITEAU : Membre d'architecture surmontant une colonne qui s'évase pour soutenir la retombée d'un arc.

CHEVET : Extrémité finale d'une église et partie extrême de l'abside. En plan, symbolise la partie supérieure de la croix sur laquelle reposa la tête du Christ.

CHŒUR : Partie de l'église réservée au clergé, où se trouve le maître autel, souvent confondu avec le sanctuaire. Lieu où se chante l'office, séparé de la nef par un jubé.

CISTERCIEN : Famille monastique issue de l'abbaye bénédictine de Cîteaux fondée en 1115 par saint Bernard de Clairvaux. Les Cisterciens suivent la règle de Saint Benoît avec une plus grande austérité alliée à l'exercice du travail manuel.

CLAVEAU : Pierre taillée pour s'insérer dans un arc.

COLLATÉRAL : Vaisseau latéral d'une nef, synonyme de bas-côté.

CONTREFORT : Massif de maçonnerie élevé en saillie contre un mur pour l'épauler ou le renforcer afin de résister à la poussée des voûtes.

COUPOLE : Voûte hémisphérique portée soit sur pendentif soit sur des trompes qui assurent le passage des murs droits au cercle.

CROISÉE DU TRANSEPT : Intersection de la nef principale et du transept d'une église.

DÉAMBULATOIRE : Galerie de circulation autour du chœur d'une église derrière l'autel.

DOUBLEAU : Arc qui enjambe la nef en la soutenant et délimite ainsi deux compartiments voûtés consécutifs.

ÉBRASEMENT : Ouverture oblique d'une baie.

ÉCOINÇON : Partie de mur triangulaire, située entre deux arcs successifs.

ARC FORMERET : Arc latéral d'un compartiment voûté, inséré dans le mur et parallèle à l'axe du vaisseau.

GÂBLE : Pignon ornemental pointu, souvent ajouré qui surmontait certains arcs, fenêtres, ou bases de clocher gothique au Moyen Age.

GOTHIQUE : Forme d'art qui s'est épanouie en Europe à partir du XIIe siècle et se caractérise par l'emploi de l'arc brisé, de l'arc-boutant et de la voûte sur croisée d'ogive en des lignes très verticales.

JUBÉ : Clôture séparant le chœur de la nef et surmonté d'une galerie.

LINTEAU : Dalle de pierre reposant sur deux piédroits, qui forme la partie supérieure d'une ouverture en soutenant la maçonnerie au-dessus de cette dernière.

MANDORLE : Alvéole en forme d'amande dans laquelle se trouvait, au Moyen Age, la figure du Christ dit "en majesté".

NARTHEX : Portique ou galerie intérieure, parfois élevé en avant de la nef des basiliques chrétiennes et où se tenaient les cathécumènes.

NEF : Partie d'une église s'étendant de la façade principale jusqu'au chœur.

PILIER : Support vertical de maçonnerie, souvent puissant, et de section carrée, jouant le rôle d'une colonne.

ROSACE : Fenêtre circulaire, composée d'éléments floraux.

SANCTUAIRE : Partie de l'église située autour de l'autel principal où s'accomplissent les cérémonies liturgiques.

TAILLOIR : Tablette surmontant le chapiteau.

TOUR-LANTERNE : Tour percée d'ouvertures qui surmonte la croisée du transept dans l'architecture chrétienne.

TRANSEPT : Nef transversale d'une église qui sépare le chœur de la nef et lui donne la forme d'une croix.

TRAVÉE : Espace compris entre les piliers de deux arcs successifs dans l'architecture romane.

TRIFORIUM : Etroite galerie au-dessus des grandes arcades, donnant sur l'intérieur de la nef. Elle porte le nom de tribune, lorsqu'elle occupe toute la largeur des bas-côtés.

TRUMEAU : Pan de mur séparant deux ouvertures. Dans un portail d'église, pilier qui le divise en deux parties.

TYMPAN : Surface unie ou sculptée comprise entre le linteau et l'arc d'un portail.

VOUSSURE : Surface courbe d'une voûte ou d'une arcade, comprise entre la naissance et un point situé en deçà du point le plus élevé de l'arc qui décrirait cette courbe afin de former une voûte complète.

Jumièges

C'est une vision inoubliable qu'offre au visiteur tout l'ensemble d'édifices et de ruines, formant le site de Jumièges, cerné dans son écrin verdoyant de forêts. Il est bien difficile en voyant l'abbaye réduite à cet état de ruines béantes, de songer qu'elle fut en son temps le plus éclatant témoin du monachisme bénédictin, alors à son apogée dans la vallée de la Seine.

On ne peut demeurer insensible à travers ces ruines pittoresques, au site imposant sur lequel transparaît encore la majesté architecturale de l'église Notre-Dame ainsi que l'archéologie plus problématique de l'église Saint-Pierre. Il faut savoir, en effet, que le site de Jumièges a servi de cadre à la plus vaste, la plus précoce, mais aussi la plus grandiose abbatiale romane de la région. Le lien existant entre l'architecture carolingienne et l'architecture romane y était évident, c'est par exemple, le seul endroit où la multiplicité des sanctuaires, de tradition très ancienne, ait été conservée. Ces différentes raisons font encore de l'abbaye de Jumièges un des monuments majeurs de l'art roman.

On ne sait pas avec exactitude quelles étaient les constructions s'élevant sur le site avant le passage dévastateur des Vikings, car les textes rares ou d'interprétation difficile donnent peu d'éléments sur son histoire.

Saint Philibert, fondateur de l'abbaye de Jumièges en 654 (où il se fera enterrer par la suite), a fait bâtir pour suivre les usages monastiques trois églises : Saint-Pierre, Saint-Denis et Saint-Germain. Ralliée à la règle bénédictine à la fin du VIIIe siècle, l'abbaye connaîtra une période brillante jusqu'au passage incendiaire des Vikings en 841, à la suite duquel les survivants ont dû aller chercher refuge à Haspres, dans le Cambrésis. Le duc de Normandie, Guillaume Longue Epée, a voulu opérer une restauration au début du Xe siècle, mais sa tentative a vite été dépassée par l'entreprise magistrale de Raoul Torta, administrateur de Rouen, qui en 945, n'eut de cesse que de détruire ce qui restait de l'église Notre-Dame, afin d'en utiliser les pierres à Rouen. Seules les deux tours de Notre-Dame ont pu être sauvées par le clerc Clément.

Les ruines des bâtiments antérieurs encore existants ont joué un rôle non négligeable dans la transmission des traditions carolingiennes et préromanes, telles que la multiplicité des sanctuaires, pour la suite de la construction. Il faut attendre que le monachisme normand ait reçu une impulsion nouvelle avec la venue de Guillaume de Volpiano, abbé de Saint-Bénigne de Dijon et de Fécamp au début du XIe siècle, pour que soit de nouveau envisagée la reconstruction de Notre-Dame-de-Jumièges. Un texte de Robert de Torigni place en 1040 le vrai début de cette reconstruction par l'abbé Robert, qui fut ensuite évêque de Londres et archevêque de Cantorbéry avant de revenir mourir comme un simple moine à Jumièges.

Le 1er juillet 1067 eut lieu la dédicace solennelle de l'église Notre-Dame par l'archevêque de Rouen, Maurille, en présence de nombreuses personnalités de la région. Puis diverses constructions s'échelonnent du XIIIe siècle, date de la reconstruction du chœur, au XVIIIe siècle. En 1790, les moines sont dispersés et l'abbaye vendue à titre de bien national. Elle est utilisée comme carrière jusqu'en 1852, date de son rachat par un agent de change, qui marque le début d'une œuvre de consolidation et de sauvetage, poursuivie par les archéologues qui lui manifestent un intérêt croissant au XIXe siècle. Des fouilles ont été faites et l'abbaye de Jumièges, après avoir été classée monument historique en 1918, est rachetée par l'Etat en 1946 ; son logis abbatial abrite depuis un musée lapidaire.

L'ordre dans lequel le visiteur découvre Notre-Dame-de-Jumièges est le plus aisé à suivre pour la décrire. Les lignes si pures de la façade très élevée paraissent quelque peu inadaptées au massif occidental dont la disposition saillante en avant des tours est déjà périmée pour l'époque. Les deux tours symétriques réunies par un pignon ont par contre, elles, des formes porteuses d'avenir et plus proches des grandes façades postérieures. On peut ajouter que la présence d'un massif occidental, pour surprenante qu'elle puisse sembler, n'est pas unique, et que l'abbaye poitevine de Maillezais ou la cathédrale de Coutances en offrent d'autres exemples. Les deux tours symétriques comprennent deux étages décorés d'arcatures plaquées sur un socle rectangulaire. Les seuls éléments décoratifs sur cet appareil d'une nudité très austère sont de hauts arcs de décharge, aveugles et non moulurés.

Entre les deux tours s'élève le massif occidental ou avant-corps en saillie, sur près de trois mètres d'épaisseur. Ses trois étages étaient jadis couverts d'un toit et s'appuyaient au pignon de la nef. Cette façade percée de baies étroites et sans mouluration est largement aussi austère que les deux tours qui l'encadrent.

L'unité de l'ensemble devient surtout visible lorsque l'on pénètre à l'intérieur. Le portail se prolonge en continuité par la porte d'entrée. Une vaste tribune communiquant avec celles des collatéraux

Page 16, haut :

Les deux tours romanes de façade, réunies par un pignon

C'est dans l'histoire des abbayes, fortement marquée par l'empreinte des grands abbés bâtisseurs ou réformateurs, que l'on suit l'évolution créatrice, de ce fait, remarquablement homogène, de la province normande. A Jumièges, l'œil perçoit d'emblée la majesté de la façade, avec ses deux tours romanes symétriques, réunies par un pignon, entre lesquelles s'élève le massif occidental.

Seules deux rangées d'arcatures dans les tours altières, et quelques baies étroites dans le pignon, animent l'austérité de l'ensemble au-delà duquel s'étend la perspective saisissante de la nef, réduite à ses seuls murs et donc à ciel ouvert.

La pensée ordonnatrice de l'abbaye se révèle déjà tout entière dans cette façade élaborée, dont la formule typique sera fréquemment retrouvée en d'autres lieux et d'autres temps.

Page 16, bas :

Intérieur de la nef de l'église

Qui eût pensé voir s'achever la prodigieuse aventure spirituelle de cette grande abbaye bénédictine commencée aux temps mérovingiens (en 655) et poursuivie sous les plus favorables auspices, dix siècles durant, en une telle entreprise de déprédation radicale par le bon vouloir des démolisseurs ?

La tour lanterne et le chœur ont été détruits en 1804. La nef, la façade et un seul pan de la tour ont échappé à cette fatale entreprise.

Ces restes fièrement dressés, dans lesquels la pensée créatrice se fait encore clairement sentir, s'intègrent harmonieusement au site boisé et verdoyant et offrent une vision mystique toute à la gloire du Créateur.

de la nef occupe tout le premier étage. Deux escaliers situés dans les tours y conduisent. Elle s'ouvre sur la nef par une seule et grande baie, inscrite dans un arc en plein cintre surhaussé, porté par des demi-colonnes dont les chapiteaux sont ornés de rinceaux.

La perspective de la nef découverte ensuite est saisissante, d'autant plus que le toit ayant disparu, elle débouche en plein ciel. La nef comprend huit travées et son élévation est à trois niveaux. N'ayant jamais reçu de voûtes, elle n'a toujours été couverte que d'un plafond en charpente, aujourd'hui disparu. L'alternance des supports, une colonne cylindrique alternant avec une pile rectangulaire, apparaît pour la première fois dans l'histoire de l'architecture normande à Jumièges. Il faut signaler que cette formule connaîtra un développement considérable dont la nef de la cathédrale de Durham, en Angleterre, marquera le point d'aboutissement. Les grandes arcades sont en plein cintre, à double rouleau. Elles sont portées par des chapiteaux cubiques tout juste épannelés ne portant aucun décor si ce n'est quelques ébauches de volutes d'angles, sur ceux du côté ouest. Au-dessus des grandes arcades s'élèvent les tribunes dont un bandeau nu et saillant souligne la base. Elles s'ouvrent sur la nef par trois baies — ou triplet — séparées jadis par de petites colonnes arrachées au XIXᵉ siècle. Chaque triplet de baies est lui-même encadré par un arc en plein cintre, de même ouverture que la grande arcade au-dessus de laquelle il s'élevait. Les tribunes étaient couvertes de voûtes d'arêtes soutenues à chaque travée par des arcs doubleaux. Les fenêtres hautes achèvent l'élévation. En plein cintre et peu ébrasées, elles permettent juste à la lumière de pénétrer aisément dans le vaisseau central.

On ne connaît plus la disposition du collatéral sud que par des dessins mais on suppose qu'elle était identique à celle du collatéral nord, encore visible. Un arc doubleau porté par la pile correspondante de la nef ainsi que par une demi-colonne adossée au mur extérieur, sépare les travées. Des voûtes d'arêtes du début du XXᵉ siècle, très restaurées, couvrent les collatéraux éclairés par de petites fenêtres en plein cintre, ébrasées.

On ne pouvait trouver utilisation plus fidèle de la tradition carolingienne par les Normands qu'à Jumièges : la tour-lanterne faisait en effet pénétrer un flot de lumière au centre de l'église, juste à la croisée du transept. Malheureusement, il ne subsiste plus qu'une face de cette tour, celle de l'ouest flanquée à gauche de sa tourelle d'escalier. Ce pan de mur a conservé sa triple élévation de baies en plein cintre. Une corniche à modillons couronnait le tout en recevant la base du toit.

Un arc triomphal à double rouleau sépare majestueusement la nef de la croisée du transept, porté par des chapiteaux cubiques sans aucun décor. Peu de choses témoignent encore du transept : le mur occidental et certaines parties des murs nord et sud, mais pour limités qu'ils soient, ces fragments offrent cependant un grand intérêt.

Au niveau des fenêtres hautes subsiste encore, en effet, une étroite galerie de circulation ou coursière qui est avec celle de Bernay, l'un des premiers exemples du genre de cette disposition dite "du mur épais". Cette disposition du mur épais, utilisant des coursières logées dans l'épaisseur des maçonneries sera typique de la Normandie.

Le décor dans le transept était un peu plus développé que dans la nef. Un des rares chapiteaux romans sculptés encore en place à Jumièges a été dégagé d'une pile gothique et montre un rinceau végétal fort élégant avec un oiseau figuré sur chaque face. Des restes de peintures sont visibles également.

L'église romane à proprement parler s'arrête là, puisque le chœur primitif a été totalement détruit au XIIIᵉ siècle. On peut, grâce aux fouilles, en restituer les dispositions principales : le chœur roman comprenait un déambulatoire sans doute voûté d'arêtes, deux chapelles à absidioles semi-circulaires s'ouvraient sur chaque croisillon tandis que l'abside elle-même s'achevait par un hémicycle couvert d'une voûte en cul-de-four. Ces fondations ont plus tard supporté le chœur gothique dont on peut signaler la ressemblance qu'il présentait avec celui du Mont-Saint-Michel.

Les ruines de l'église Saint-Pierre, édifice plus préroman que roman, sont ensuite accessibles en sortant de Notre-Dame.

Le cloître de Jumièges paraît de proportions très réduites pour une abbaye de cette importance. Selon le plan traditionnel bénédictin la salle capitulaire permettait le passage entre le croisillon sud de l'église et le cloître. Cette salle a servi de lieu de sépulture, notamment pour les grands abbés.

Le grand cellier, bâtiment déjà gothique par ses voûtes d'ogives et ses arcs brisés, situé dans l'aile occidentale, est dans un état déplorable.

On ne peut achever la visite du monastère roman de Jumièges sans mentionner encore l'église paroissiale située au nord de l'enclos abbatial. Dédiée à saint Valentin depuis le XIIᵉ siècle, la partie romane comprend une nef de six travées non voûtée, et la moitié de la base d'une tour centrale restée inachevée.

Le dépouillement est donc flagrant dans les restes de cette somptueuse abbaye. L'architecture règne avant tout et met en valeur la qualité du moyen appareil de pierres calcaires utilisé. S'il y a eu place cependant à Jumièges pour les sculpteurs romans, ceux-ci eurent une action très limitée, sans grand génie et en employant une technique simple dont témoignent les quelques chapiteaux restants. Les chapiteaux du transept et surtout les neuf chapiteaux déposés au Musée lapidaire sont d'une qualité tout autre. Les feuillages et palmettes représentés évoquent certaines miniatures de l'école de Winchester. On peut y voir aussi des êtres vivants, des oiseaux à tête humaine et même un homme nu de profil. Il faut en plus se remémorer qu'à l'époque, la couleur suppléait à cette indigence plastique.

Page 17 :

Façade

Les arcades géminées de la tour lanterne encore debout, et l'élévation élaborée de la nef illustrent par leur technique et leur audace le grand siècle normand que fut le XIᵉ siècle et la place majeure que tient cette province dans l'histoire de l'architecture médiévale.
A la même époque, l'Eglise profite de l'essor de la puissance ducale depuis Rollon, c'est elle, en effet, qui dote les églises, reconstitue le clergé et favorise la réforme monastique tout en soumettant l'épiscopat. Guillaume le Conquérant poursuivra la politique centralisatrice de ses prédécesseurs sans omettre de prendre en compte la puissance ecclésiastique.

Caen

Ville phare de la Normandie, Caen n'a cessé d'occuper une place privilégiée dans l'histoire de cette province, vivant au même rythme qu'elle les divers aléas qui ont pu lui advenir au cours du temps. C'est ainsi que, située au cœur des événements historiques et religieux, elle a d'abord vu la réunion d'un concile par le duc Guillaume le Bâtard, vers 1045, afin d'instaurer la trêve de Dieu dans cette province.

Dès ce jour, la ville de Caen va occuper une place de plus en plus grande dans l'esprit du duc, jusqu'à avoir, à titre de capitale secondaire, la prépondérance sur les autres villes normandes. De plus, ses relations avec l'Angleterre, une fois celle-ci conquise, lui assureront la prospérité et Caen connaîtra ainsi durant un siècle environ une activité architecturale intense. Trois grands édifices subsistent dont la Trinité et Saint-Etienne, mais on peut citer d'autres édifices romans de moindre importance, tels que l'église paroissiale Saint-Georges ou encore la salle de l'Echiquier qui est le principal édifice civil de Normandie.

Malgré un degré de parenté prohibé par le droit canonique, Guillaume n'a pas hésité vers 1051 à épouser Mathilde de Flandres, s'opposant par le fait même au clergé : le pape condamne leur union en 1053. Mais à la suite de l'intervention de Lanfranc de Pavie, écolâtre de l'abbaye du Bec-Hellouin, à la brillante personnalité, le pape Nicolas II consentira en 1058 à lever les sanctions canoniques prononcées contre le duc et sa femme. C'est à titre de pénitence que ces deux derniers s'engagent à fonder chacun une abbaye. Le site choisi se trouve être Caen, ville nouvelle des bords de l'Orne.

L'abbaye de la Sainte-Trinité, ou abbaye aux Dames, est fondée par Mathilde entre 1059 et 1065 sur la route menant vers la mer. Cette abbaye sera le centre d'un nouveau quartier, ou Bourg l'Abbesse, doté lui-même d'une église paroissiale dédiée à saint Gilles.

Vers 1063, Guillaume décide à son tour la fondation d'un monastère bénédictin, l'abbaye aux Hommes, dédié à saint Etienne, sur la route allant de Caen vers Bayeux et le Mont-Saint-Michel. Le Bourg l'Abbé se développera autour de ce monastère dirigé par Lanfranc de Pavie, alors prieur de l'abbaye du Bec-Hellouin. L'an 1066 est celui de la dédicace solennelle de l'abbaye aux Dames en présence d'une noble assemblée, mais c'est aussi l'année de la victoire de Guillaume sur les Anglais, à Hastings, victoire à la suite de laquelle il se fera couronner roi d'Angleterre à Westminster.

L'église *Saint-Etienne de Caen* a vécu l'histoire complexe, voire agitée, de la Normandie sans en avoir souffert extrêmement, protégée par le souvenir de son prestigieux fondateur, Guillaume le Conquérant.

Le XIIIe siècle en revanche, l'a beaucoup marquée car des coutumes liturgiques nouvelles attachant une importance plus grande aux processions à l'intérieur de l'église ont entraîné la destruction du chœur roman primitif, jugé trop étriqué. Un chevet gothique rendu beaucoup plus ample grâce à la présence d'un large déambulatoire et de chapelles rayonnantes, l'a remplacé. Le même sort est fréquemment advenu à plusieurs de nos cathédrales à l'époque et la nef pouvait parfois également en souffrir. A Saint-Etienne, il n'en fut rien puisque le maître d'œuvre gothique, Guillaume, respecta au maximum la réalisation de Lanfranc et du Conquérant et fit se raccorder le plus harmonieusement possible le chœur gothique et la nef romane.

Des travaux de restauration s'imposèrent au XVIIe siècle pour le chœur endommagé, ayant souffert d'un long abandon. Le prieur Jean de Baillehache eut la sagesse de respecter les dispositions antérieures de telle sorte qu'il faut un œil très avisé pour distinguer les maçonneries du XIIe siècle de celles du XVIIe siècle. Au XVIIIe siècle, alors qu'il ne restait pratiquement rien de l'ancien cloître flamboyant, la reconstruction générale des logis conventuels fut entreprise. Le style toscan choisi s'harmonise bien, grâce à ses arcades en plein cintre, avec les arcatures romanes du collatéral et de la nef de telle sorte que malgré les divers apports successifs des siècles, on peut dire que Saint-Etienne a su conserver sa beauté initiale.

La façade de Saint-Etienne, très épurée, est le chef-d'œuvre dans lequel s'est épanoui le meilleur du génie technique des architectes normands. L'architecte a su être à la fois très novateur dans sa conception et également d'une grande habileté de tradition, puisque c'est à Saint-Etienne qu'apparaît pour la première fois la façade dite « harmonique » normande.

Deux tours occidentales d'élévation presque similaire encadrent la porte principale de la nef, remplaçant ainsi les massifs occidentaux qui faisaient auparavant saillie en avant de la nef ; elles inaugurent une formule nouvelle qui aura beaucoup d'avenir au XIIe siècle et ensuite dans l'art gothique. La nudité de cette façade est frappante et fait ressortir la précision de l'appareil de pierre employé ainsi que les lignes architecturales.

Quatre contreforts massifs soulignent la division de la nef et des tours. Celles-ci, de plan carré, ont trois étages égaux qui se projettent en avant vers le ciel, en une progression savante. Des bandes lombardes, à savoir sept arcatures étroites, ornent l'étage inférieur, absolument aveugle. Le niveau suivant est un peu plus aéré et plus orné, doté de cinq arcatures à demi-colonnes jumelées dont deux sont ouvertes. Le dernier étage est largement ouvert par deux grandes arcades à double rouleau, à l'intérieur desquelles sont percées des baies géminées séparées par une colonne. Toutes les archivoltes sont moulurées, les écoinçons sont décorés et la corniche portée par une série de gros modillons sculptés. On peut admirer ici la formule très achevée et pleine d'élan des grands clochers normands, progressivement élaborée dans les églises rurales de la région.

La nef, dans sa blanche et parfaite nudité, représente un autre aperçu de l'esthétique normande au XIᵉ siècle. La netteté des lignes de la construction efface ici tout le décor. La première travée d'entrée, encadrée par les deux tours, est surmontée de la tribune d'orgue. Puis, le reste de la nef, dans son entier, s'étend sur huit travées égales, pourvues de collatéraux. L'élévation est à trois niveaux : grandes arcades en plein cintre à double rouleau, vastes tribunes à l'étage ouvrant sur la nef par des arcades de même type. Une galerie de circulation, enfin, avait été ménagée dans l'épaisseur du mur selon la technique dite "du mur épais" très prisée des maîtres d'œuvre normands. L'alternance des supports, justifiée par la retombée des voûtes sexpartites, est un autre caractère particulier de Saint-Etienne. Chaque groupe de deux travées a reçu une seule croisée d'ogives, dite sexpartite, et soutenue par un arc-doubleau. L'alternance des supports découle du fait que les piles faibles ne portent qu'un seul doubleau, et les piles fortes, un doubleau et une ogive.

Les tribunes qui permettent d'accueillir bon nombre de fidèles lors des grandes cérémonies, sont voûtées en demi-berceau. Les bas-côtés ont reçu des ogives beaucoup plus récentes, qui ont remplacé des voûtes d'arêtes. Dans toute cette partie de l'église le décor est réduit au minimum : quelques motifs géométriques, des feuilles stylisées sur les chapiteaux.

Le transept comprend deux croisillons dotés chacun de vastes tribunes qui communiquent avec celles de la nef. Une seule pile plantée au milieu du croisillon supporte ces tribunes dont l'espace inférieur est voûté d'arêtes, et le haut d'ogives. La croisée du transept, d'une grande élégance, supporte une énorme tour lanterne dont seul subsiste l'étage inférieur roman, de plan carré, le haut octogonal ayant été refait après l'effondrement du XVIIᵉ siècle.

Saint-Etienne qui était autrefois dégagée est maintenant incluse dans un réseau de constructions des XVIIIᵉ et XIXᵉ siècles pratiquement inextricable et qui a rendu pour le moins inaccessible son côté septentrional. Pour l'essentiel, dans la simplicité et la pureté des lignes romanes, c'est avant tout l'église de Guillaume le Conquérant que l'on peut toujours admirer en Saint-Etienne. Elle concrétise de manière évidente certains traits de caractère de ce personnage, avide de grandeur, rêvant d'égaler avec son royaume anglo-normand les plus grandes monarchies de son temps, sans oublier le très lucide administrateur qu'il était aussi, épris de dépouillement, mais ouvert aux innovations architecturales, comme on a pu le voir à Saint-Etienne. C'est toute la grandeur de la Normandie, à la fois politique et esthétique, qui se trouve reflétée dans cet édifice.

L'église de la *Trinité* est bien loin, à l'encontre de sa somptueuse voisine, d'incarner la même recherche de majesté et d'austérité. Ses proportions sont plus modestes, la nef plus basse, mais le décor y est plus abondant.

De nombreuses campagnes de construction coupées d'arrêts ou de repentirs entre 1066 et 1130 ont créé des disparités dans l'édifice qui est d'approche plus complexe. Il faut en avoir découvert les particularités, avant de pouvoir les apprécier. C'est ainsi qu'il est difficile de dire avec exactitude quelles parties de l'église remontent à la date de la dédicace, le 18 juin 1066. La crypte ainsi que les parties basses du transept, le mur sud de la nef et les tours de façade sont sans doute les parties les plus anciennes.

D'autres édifices romans ont longtemps entouré l'église, telle l'église paroissiale de Saint-Gilles, mais ils furent malheureusement abattus ou défigurés au cours du temps pour des besoins utilitaires qui ont touché également les bâtiments conventuels.

D'emblée, la façade dénote la complexité de l'édifice. Son aspect général évoque l'abbaye aux Hommes : deux tours carrées à quatre niveaux encadrent la façade rectiligne de la nef, de plus des contreforts d'angle épaulent les tours sur trois niveaux. La ressemblance s'arrête là, car l'esthétique diffère beaucoup entre les deux édifices. Le niveau inférieur des tours est évidé par des porches latéraux. Seule une petite baie en plein cintre est percée dans le second niveau, le troisième porte un décor d'arcatures plaquées. Le quatrième niveau, en revanche, s'élance hardiment couvert d'étroites arcatures très serrées et le décor se poursuit aux voussures ainsi qu'aux colonnettes d'angle. Mais il manque deux étages à ces clochers demeurés inachevés.

La façade de la nef, enserrée entre les deux tours, menaçait ruine et a été reprise trois fois de suite au cours du XIXe siècle de telle sorte que seule la structure primitive des étages a été reproduite avec fidélité : trois grandes baies sont percées dans le pignon, des arcatures aveugles encadrent ensuite deux baies moulurées et au-dessus encore, s'élève un gâble en appareil décoratif, surmonté d'une croix antéfixe.

La nef avec ses neuf travées est très allongée. Hormis la base refaite de presque tous les piliers et la voûte reconstruite, elle garde dans l'ensemble son aspect du XIIᵉ siècle. L'élévation à deux niveaux, grandes arcades et fenêtres hautes, comprend en plus un étage médian postiche, fait d'une rangée d'arcatures aveugles décorées d'une seule moulure. Deux cordons décorés de billettes et de torsades délimitent chaque étage.

L'étage supérieur comprend une grande baie en plein cintre flanquée de deux petites arcades pour chaque travée; selon la technique normande du "mur épais", déjà observée à Saint-Etienne, elles ouvrent sur une galerie de circulation aménagée dans l'épaisseur de la maçonnerie. Le voûtement fait de fausses voûtes sexpartites est une curiosité qui atteste des divers essais pratiqués à cette époque dans le domaine anglo-normand, avant que ne soit mise au point la voûte sur croisée d'ogives.

C'est par son esthétique que l'église de la Trinité diffère principalement de Saint-Etienne. En effet, hormis aux écoinçons, aucun pan de murs n'a été laissé nu de sorte que l'on voit peu le bel appareil de pierres taillées employé pour la construction. Le décor s'il est resté très simple est devenu, ici, envahissant.

Le transept, par son ampleur remarquable, impressionne plus que la nef. Le croisillon, long de deux travées, s'achève par un mur plat décoré d'arcatures, simulant la même élévation à niveaux que dans la nef, mais le décor y est plus développé. Les grands arcs, à double rouleau, sont décorés de motifs de bâtons ou d'étoiles et les arcatures, en tout point semblables à celles de la nef, portent des frettes crénelées aux voussures ainsi que des billettes. Elles ont des chapiteaux à godrons.

Chaque bras du transept s'ouvrait jadis sur une paire d'absidioles anciennement démolies. Celles de gauche ont été restituées d'après les données originelles, tandis qu'une salle capitulaire de forme rectangulaire a remplacé dès la seconde moitié du XIIIᵉ siècle celles de droite.

L'église s'achève par un chœur long et étroit, comprenant deux travées droites voûtées d'arêtes et une abside peu profonde voûtée en cul-de-four et percée de deux rangées de baies en plein cintre. Le décor, comme inexistant sur les murs des deux travées droites, fait preuve, à l'abside, de recherche et de raffinement. Selon un parti en effet purement ornemental, quatre piles cylindriques se détachent en avant du mur du fond, simulant un embryon de déambulatoire surmonté à son étage d'une tribune. On peut expliquer la présence de cette structure, plus habituellement utilisée aux étages des absides dans les grandes églises romanes du XIᵉ siècle, par un désir d'alléger le côté oriental de l'église, afin que la lumière y pénètre plus largement. Les chapiteaux de cette fausse galerie sont les seuls, semble-t-il, à Caen qui aient été inspirés par le bestiaire oriental cher à bon nombre de sculpteurs romans à la même époque : on peut y voir des lions, des cigognes et des chimères s'affrontant, datés du début du XIIᵉ siècle. L'un des plus curieux, sans doute inspiré par un ivoire ou une étoffe, représente un éléphant et son cornac avec cette particularité que la trompe de l'éléphant a été remplacée par une corde passée dans un anneau fixé au nez de l'animal pour aboutir ensuite entre les mains du cornac.

La crypte, unique parmi les églises abbatiales romanes normandes, fait l'originalité de la Trinité. Un seul escalier situé dans une des absidioles de droite y conduit encore. Le jaillissement des colonnes serrées dans la pénombre de cette partie de l'église provoque une forte impression, d'autant plus qu'elle est imprévue. Son plan très simple est de forme rectangulaire et s'achève en hémicycle. Les colonnes sont disposées en quatre files très régulières, peu espacées, de telle sorte qu'elles produisent réellement l'impression d'une forêt touffue; leurs fûts monolithes supportent de petites voûtes d'arêtes. Sans doute cette partie de l'édifice, la plus ancienne, est-elle celle qui est restée la plus authentique. Les seize chapiteaux des colonnes n'offrent qu'un jeu de variations très graphiques sur le thème classique de feuillages. Jadis appelé Saint-Nicolas-sous-Terre, la présence de cette crypte ne s'expliquait vraiment ni par une dénivellation importante du terrain, ni par la présence de reliques très vénérables mais peut-être seulement par un souci d'imiter les autres grandes églises antérieures ou contemporaines.

Il est devenu difficile de faire le tour de l'église de la Trinité si l'on désire en avoir une idée générale tant elle est cernée de multiples constructions. Son côté gauche est presque invisible et l'élévation du côté droit a été bouleversée au XIXᵉ siècle.

Le chevet, quant à lui, est enserré de constructions de toutes parts, qui ont malheureusement supprimé le remarquable coup d'œil que l'on pouvait avoir lorsqu'il était dégagé sur l'abside encadrée de deux tourelles d'escaliers. Cette dernière comporte au rez-de-chaussée des arcatures aveugles et deux étages de baies en plein cintre dont les voussures sont ornées de dents de scie ou de bâtons brisés. Des demi-colonnes montant jusqu'à la corniche à modillons jouent le rôle de contreforts.

Pages suivantes :

Cloître de l'abbaye aux Hommes

Les deux abbayes (Saint-Etienne et la Trinité), bien que construites simultanément, diffèrent dans le parti adopté : Saint-Etienne, par exemple, comporte des tribunes s'ouvrant au-dessus des grandes arcades, tandis que la Trinité qui n'en a pas, est pourvue d'un triforium à l'étage médian. Dans les deux édifices cependant, on observe un passage réalisé dans le "mur épais" à la base des fenêtres hautes qui est une réalisation architecturale propre à la Normandie et forme une étape marquante pour l'évolution des techniques du XIᵉ au XIIᵉ siècle. A travers ces constructions ingénieuses pour lesquelles ils n'ont pas hésité à utiliser avec hardiesse les voûtes d'ogives et leurs conquêtes, les Normands se révèlent aussi habiles constructeurs que redoutables navigateurs, suivant en cela l'exemple de leur bien-aimé chef, le duc, Guillaume.

Ci-dessus :

Hôtel de ville et abbaye aux Hommes

Les circonstances étranges de l'amour ont présidé à la naissance des deux abbayes de Caen ; Guillaume le Conquérant et la reine Mathilde qui avaient contracté un mariage prohibé par leurs liens de parenté, se sont engagés à faire construire chacun un monastère, en mesure expiatoire, afin que soit levé l'interdit qui pesait sur eux.

Le roman et le gothique se sont juxtaposés avec harmonie dans l'église Saint-Etienne (abbaye aux Hommes où repose le corps de Guillaume), qui a su conserver sa grande unité générale malgré les restaurations ultérieures. L'Hôtel de ville que l'on voit aujourd'hui, enserrant l'église, fait partie des bâtiments civils construits de 1704 à 1726 sur les plans du Père de la Tremblay (de la congrégation des Mauristes), à la place des anciens bâtiments conventuels.

Page en regard :

Eglise de la Trinité

Fondée en 1062 par la reine Mathilde, l'abbaye aux Dames, dédiée à la Trinité, abrite sa sépulture. La première abbesse en fut d'ailleurs la fille de Mathilde et du duc Guillaume.

Cet édifice est de proportions plus modestes que la grande église Saint-Etienne, mais le décor plus abondant tempère et allège le caractère massif des tours en façade pour se faire presque envahissant à l'intérieur de l'église. La crypte, unique parmi les églises abbatiales de Normandie, est sans doute la partie la plus authentique et la plus ancienne de l'édifice. Ses colonnes à chapiteaux sculptés qui soutiennent l'édifice avec une aisance remarquable, lui confèrent une extrême élégance.

Ottmarsheim

Page 32 :

Fresque

A l'intérieur de l'église le plan est des plus simples : il se compose de deux octogones concentriques prolongés à l'est par un chœur carré soudé à l'enceinte. Les hautes et larges arcades en plein cintre des tribunes sont essentielles pour contribuer à l'effet de fluidité et de centralisation de l'espace au sein de l'église. Cette église étant conventuelle et en même temps paroissiale, tout en accueillant les pèlerins, il ne faut donc pas s'étonner que des améliorations ou des transformations de l'édifice primitif soient survenues au fil du temps selon les besoins. Diverses adjonctions ont eu lieu aux XVe et XVIe siècles, afin de mieux répondre à l'organisation du culte. Des peintures murales, dont nous présentons ici deux exemples, subsistent de cette époque, dans le déambulatoire et sur la tribune à l'est et à l'ouest de l'octogone. Elles délimitent par là même les réfections et les parties neuves qui n'en comportent plus.

Parmi les richesses passées qui ont marqué l'Alsace, celles de l'époque romane sont parmi les plus tangibles et les plus vénérables. Si l'art roman s'est particulièrement épanoui à la fin du XIIe siècle se prolongeant de façon conséquente au XIIIe siècle, ses antécédents remontent bien au-delà, jusqu'aux origines du christianisme dans la région, avec les grandes fondations monastiques qui ont suivi les invasions barbares, puis l'essor des abbayes carolingiennes.

L'Alsace, terre de passage, a bénéficié de ces relations diverses. De plus, sa situation dans l'Empire non loin des villes rhénanes fait qu'elle a participé à l'art ottonien, sobre et sévère. Deux types de plans ont coexisté dès le XIe siècle dans cette province : le plan basilical à trois nefs et le plan centré. L'église d'Ottmarsheim montre à la fois toute la richesse spirituelle que ce dernier concrétise ainsi que les inconvénients d'usage pour les fidèles, qui en découlent.

Par sa forme, le plan centré ne peut que satisfaire aux exigences de l'esprit, puisqu'il fait inéluctablement converger les éléments de l'architecture ou du décor en un point unique et essentiel, symbole de paix et d'unité. Cependant, des difficultés d'usage se feront sentir immanquablement lorsqu'un grand nombre de fidèles aura à se rassembler autour de l'autel placé au cœur de l'église. Une telle forme de plan ne peut qu'accentuer le lien sacré des fidèles avec l'autel, de même que l'élévation très sensible dans un tel espace resserré prend toute sa dimension, en suggérant une ouverture vers l'espace divin.

L'église a été fondée vers 1020, par Rodolphe d'Altenbourg qui fit construire sur son domaine d'Ottmarsheim, un monastère de bénédictines, dédié à la Vierge. En 1049, l'église est consacrée et le monastère passe sous la protection directe du pape. Certains privilèges lui sont alors accordés qui seront renouvelés par le pape Eugène III.

Le monastère eut à souffrir des hostilités diverses entre les grands de la région. Il fut incendié à plusieurs reprises, en particulier en 1445, ce qui obligea les chanoinesses à se réfugier à Colmar. Au XVe siècle une chapelle de plan carré est ajoutée au sud-est, l'actuelle chapelle de la Sainte-Croix. Après ces grands troubles, l'abbesse Agnès de Dormentz fait construire en 1582, au nord du chœur, la chapelle du chapitre à deux travées et une abside à cinq pans.

Un fragment de la Vraie Croix vint en 1603 enrichir les reliques de l'abbaye qui ne possédait auparavant que celles de saint Quirin et fit donc de l'édifice un lieu de pèlerinage.

L'abbesse, Anne Charlotte de La Touche, restaure une fois encore les bâtiments après les guerres ruineuses du XVIIᵉ siècle, ce à la suite de quoi le chapitre est finalement dissous en 1790. Les bâtiments claustraux, vendus comme biens nationaux, ont été détruits par leurs acquéreurs.

Ottmarsheim est situé au nord-ouest de Mulhouse, à trente kilomètres de Bâle, sur une mince bande de terre arable que bordent à l'est le canal d'Alsace, et à l'ouest la lisière de la forêt de la Hardt. Le village et le nom sont antérieurs à l'église, car le domaine d'Ottmarsheim est cité pour la première fois en 881 après les défrichements pratiqués à l'époque franque.

L'église, elle, n'apparaît que lors de la fondation du monastère par Richard d'Altenbourg qui, prévoyant, eut soin d'utiliser pour cela ses propres deniers. Elle demeure un monument majeur, précieux à bien des titres, pour la connaissance de l'art roman en Alsace, remémorant le modèle direct de la chapelle octogone d'Aix-la-Chapelle, et bien au-delà, les sanctuaires palatins italiens ou byzantins.

Les contours symétriques de l'octogone s'aperçoivent de loin, avec une haute tour les précédant, qui se détache au-dessus des toits du village. En pendant à cette tour occidentale couverte en bâtière, s'élèvent à l'est le chœur rectangulaire ainsi que deux chapelles gothiques greffées sur les côtés nord et sud du bâtiment initial. Celle du sud est reliée à la sacristie par sa toiture, et celle du nord est la chapelle du chapitre construite par Agnès de Dormentz, en 1582.

L'édifice comprend un octogone central, entouré d'un collatéral de même forme, sur lequel se greffent, à l'est, le chœur et à l'ouest, un porche. Le tambour octogonal est ce qui à l'extérieur fut le mieux conservé, percé sur chaque face d'une petite baie en plein cintre. La toiture et la corniche à billettes sont plus récentes. On ne peut que remarquer les fenêtres dues à deux réfections successives qui ont bien modifié l'aspect initial de l'étage inférieur de l'octogone. On connaît encore celui de l'époque gothique par une gravure de Mérian, et un dessin de Silbermann. La toiture du chœur n'est pas non plus celle d'origine et la tour a également subi des modifications, comme l'atteste la date 1563, visible à l'intérieur du porche sur la porte.

Les murs décapés récemment ont permis d'observer la grande diversité visible dans l'appareil de maçonnerie employé, attestant de diverses constructions ou restaurations successives. Le porche occidental forme le rez-de-chaussée d'une tour, dans laquelle ont été

Page 33 :

Fresque

L'ordonnance intérieure de ce précieux monument fait que la richesse du décor ou des formes est concentrée à l'étage noble, lui-même couvert d'un système complexe de voûtes et élevé sur une crypte en soubassement. Il faut rappeler ici que malgré ses petites dimensions, ou peut-être en raison de celles-ci, Ottmarsheim offre cette intéressante particularité d'être l'édifice du Rhin supérieur le plus ancien dans lequel les trois systèmes de voûtement : voûtes en berceau, voûtes d'arêtes ou coupoles, se trouvent réunis.

Si cette église porte nettement la marque de l'octogone d'Aix-la-Chapelle édifié par Eudes de Metz dans le palais de Charlemagne dont elle est le reflet, on peut se rendre compte que malgré tout, la conformité à l'art impérial des Carolingiens a été surtout respectée dans la conception de l'espace, plus que dans l'ornementation, cela en réponse aux désirs plus régionalistes d'un fondateur du terroir.

Vue extérieure du chevet

L'ancienne église monastique d'Ottmarsheim demeure un moment précis pour la connaissance de l'art roman en Alsace, car il permet de mieux saisir les origines lointaines de cet art, qui, à travers les constructions d'Aix-la-Chapelle, remonte à des sanctuaires palatins plus anciens et lointains, d'Italie ou de Byzance.
En pendant à la haute tour couverte en bâtière, précédant l'octogone, et qui se profile au-dessus du village, à l'est s'élève un chœur rectangulaire pourvu de deux chapelles gothiques sur ses côtés nord et sud, qui altèrent par leur présence le volume initial. L'extérieur de l'église a été profondément modifié comme le prouve une observation attentive des différents appareils utilisés pour la construction, visibles après le décapage des murs. On peut alors remarquer une diversité évidente tant dans la nature que dans l'exécution de la maçonnerie. Cependant ces nouvelles dispositions constructives ont respecté les volumes primitifs, hormis l'ajout des chapelles.

aménagés les deux escaliers menant aux tribunes qui surmontent le collatéral. Une chapelle haute correspond à l'étage, au chœur.

L'équilibre des volumes et des masses harmonieusement répartis, ainsi que le dépouillement et la sobriété de l'intérieur et l'éclairage même, rendent ici très sensible au visiteur, l'espace ainsi mis en valeur.

Son plan très simple est fait de deux octogones concentriques avec un chœur carré les prolongeant à l'est. Au rez-de-chaussée, l'octogone communique avec le collatéral couvert de voûtes d'arêtes carrées alternant avec des voûtes triangulaires, par des arcades basses. Ces mêmes voûtains alternent dans les tribunes, avec des berceaux rampants transversaux.

L'étage des tribunes s'ouvre sur l'octogone par de hautes et larges arcades en plein cintre. Chacune est divisée à chaque niveau en trois arcades monolithes à chapiteaux cubiques, sans aucun décor. Seuls les chapiteaux et les bases permettent ici, comme éléments décoratifs, d'attribuer l'édifice au XIe siècle. Ils sont construits en grès des Vosges, et s'opposent aux arcs à simple rouleau et piliers à arêtes vives, faits de blocage irrégulier, jadis couvert d'enduit. Une petite fenêtre haute, en plein cintre, percée dans chaque face, éclaire l'octogone, couvert d'une coupole à huit pans, également construite en moellons.

Ainsi se présente donc l'ordonnance de ce monument, dans lequel la richesse des formes et du décor est concentrée à l'étage noble couvert de voûtes complexes. Il est l'un des mieux conservés de l'architecture ottonienne, très marqué par l'octogone impérial érigé à Aix-la-Chapelle, dans le palais de Charlemagne par Eudes de Metz.

Les deux petites chapelles ajoutées au sud-est et nord-est aux XVe et XVIe siècles peuvent s'expliquer par le fait que l'église à la fois conventuelle et paroissiale était également lieu de pèlerinage, ce qui a pu nécessiter des améliorations dans l'ordonnance initiale. Selon les archives du Bas-Rhin, une partie des voûtes du déambulatoire et de l'étage des tribunes ont aussi été refaites.

La faveur d'Ottmarsheim auprès des historiens ou amateurs d'art ne date pas d'aujourd'hui, puisque dès la Renaissance l'église a retenu l'attention, mais c'est le professeur J. Burckard de Bâle qui lui a donné ses lettres de noblesse, en reconnaissant le premier la filiation évidente et directe qui lie Ottmarsheim à l'église palatine de Charlemagne, à Aix-la-Chapelle. On peut, en effet, souligner la similitude de plan, d'ordonnance, en particulier pour le centre, et enfin des voûtements. Mais, en simplifiant le plan, la structure, ou en modifiant les proportions, ainsi qu'en rejetant le décor à l'antique, le maître d'œuvre d'Ottmarsheim a créé quelque chose de neuf et de différent reflétant l'expérience artistique de son temps, la conception ottonienne en particulier, et par là même a répondu sans doute à un caractère plus régionaliste.

Fontevraud

L'abbaye fondée par Robert d'Arbrissel au début du XIIe siècle a précédé de peu la naissance du village qui s'est développé alentour, entraînant très vite la création d'une paroisse. C'est ainsi que l'abbaye royale de Fontevraud est demeurée jusqu'à la Révolution chef de cet ordre. De cette abbaye dépendaient bon nombre de prieurés assujettis par le fait même au gouvernement d'une abbesse, puisque, selon la coutume particulière à Fontevraud, une femme de lignée princière ou de la plus haute noblesse en assurait toujours la direction.

Son créateur, Robert d'Arbrissel, docteur en théologie, prédicateur renommé et archiprêtre du diocèse de Reims, décida, afin de mener une vie plus austère, de se retirer dans la forêt de Craon. Bien vite rejoint par de nombreux disciples ou pénitents convertis, il dut trouver au plus tôt un point d'attache, en l'occurrence Fontevraud (ou Fontevrault) en 1099. Il faut savoir qu'à cette époque d'autres fondations érémitiques sont nées de ce même désir de vie solitaire plus austère en France ou en Italie. L'ordre de la Chartreuse fondé en 1084 est l'un des plus célèbres.

Le monastère, gouverné par une prieure, puis par une abbesse comprenait plusieurs communautés : "Le Grand Moûtiers" destiné aux religieuses, Saint-Jean pour les moines, le cloître Saint-Benoît ou infirmerie, le cloître Saint-Lazare était la léproserie, et la communauté de la Madeleine accueillait les pécheresses repenties.

Tout de suite après les débuts de sa construction, l'opulence des dons faits par les comtes d'Anjou tout particulièrement ou d'autres seigneurs de la région, permet au monastère d'atteindre des proportions grandioses. L'ordre arrivera ainsi à se répandre dans toutes les terres des Plantagenêts, sur un territoire couvrant quatre provinces : France et Angleterre, Gascogne et Espagne.

La guerre de Cent Ans, puis les guerres de Religion engendreront suffisamment de troubles pour qu'il soit nécessaire d'y remettre bon ordre. Les abbesses Marie de Bretagne et Jeanne Baptiste de Bourbon s'y employèrent. L'abbaye reconstruite en partie au XVIe puis au

XVIIᵉ siècle était immense lorsque sa fermeture en 1790 entraîna la dispersion des religieux et religieuses, ainsi que le pillage inconsidéré des objets d'art et ornements par la population.

L'abbaye connut ensuite temporairement une autre destinée, transformée en 1804 en prison, et ce jusqu'en 1963, date à laquelle eut lieu le transfert de ladite prison. Une restauration générale entreprise depuis a fortement contribué à lui redonner son visage d'antan.

L'édifice grandiose qu'est l'église Notre-Dame, dite aussi "Grand Moûtiers", se compose de deux parties bien distinctes : orientale et occidentale. La partie orientale ayant servi de chapelle à la prison a peu souffert. Le chœur, peu profond par rapport à l'ensemble du monument, est surélevé de deux marches au-dessus du sol du transept. Il est entouré d'un déambulatoire voûté en berceau sur lequel ouvrent trois chapelles rayonnantes, de plan semi-circulaire, alternant avec des fenêtres. Ce chœur est porté par de hautes colonnes rapprochées dont les chapiteaux n'ont aucun ornement. Une arcature aveugle dont les colonnettes ont des chapiteaux sculptés court au-dessus des arcs. Plus haut encore sont percées des fenêtres en plein cintre.

L'ensemble est couvert d'une voûte en berceau sur la partie rectiligne, qui comprend deux travées, et d'une voûte en cul-de-four sur le rond-point selon un parti fréquemment adopté à l'époque romane. On peut d'ailleurs remarquer, bien que le nombre de leurs chapelles diffère, une grande ressemblance de conception entre les chœurs de Fontevraud et Saint-Savin.

Le transept est couvert d'une voûte en berceau, mais ses deux bras divisés en deux travées chacun, sont dotés d'une absidiole orientée qui, selon le schéma adopté dans le sanctuaire, est couverte d'une voûte en berceau sur la partie droite puis d'un cul-de-four sur sa partie arrondie. Le clocher s'élève au-dessus de la croisée du transept porté par des piles formées de quatre colonnes engagées, elles-mêmes surmontées de grands arcs à double rouleau légèrement brisés. Une coupole sur pendentifs s'élève au-dessus de cette partie de l'église.

Très proche de celle de la cathédrale d'Angoulême, la nef unique est couverte de quatre coupoles sur pendentifs, détruites par l'administration pénitentiaire, mais restituées par l'architecte des Monuments historiques, L. Magne. Les coupoles sont portées par de puissants massifs ou piliers carrés accostés de colonnes doubles sur trois faces, celles-ci étant unies par des arcs-doubleaux. Les murs latéraux n'ont rien à porter. Des fenêtres jumelles décorées de colonnettes à chapiteaux sont percées dans la partie supérieure de chaque travée, tandis qu'une riche et quadruple arcature qui porte une galerie de circulation, orne la partie inférieure. On remarquera les chapiteaux de cette partie de l'édifice, porteurs d'un décor riche et

Pages 38/39 :

Vue extérieure du chevet

Selon une chronique ancienne : "Ce fut dans un enthousiasme immense l'occasion d'une grandissime fête à l'abbaye, richement décorée d'oriflammes, jonchée de fleurs et de feuillages, illuminée de gerbes de lumière à profusion" qu'eut lieu la consécration du chœur de l'abbatiale par le pape Callixte II. On admirera le savant étagement des absidioles décorées d'arcatures sur le pourtour du chevet, dominé par la puissante silhouette du clocher.

Vue extérieure des cuisines

Cette cuisine, qui comportait six foyers à bois et vingt cheminées pour l'évacuation des fumées, demeure une des curiosités esthétiques et utilitaires du Moyen Age.

On raconte que le clocher, hérissé de tourelles insolites et couvert d'écailles renversées, abritait secrètement et dans des temps fort reculés, un bandit de grand chemin. Ce dernier attirait, prétend-on, par la lumière les voyageurs égarés, dans son abri solitaire et en profitait pour les détrousser à loisir.

Les gisants

Dès le début, les dons affluèrent à l'abbaye, la faisant ainsi rapidement prospérer, en particulier grâce à la générosité des rois d'Angleterre, les Plantagenêts, en tant que comtes d'Anjou.

Ils furent inhumés dans l'abbatiale où se trouvent toujours les célèbres gisants du roi Henri II d'Angleterre, de son illustre épouse Aliénor d'Aquitaine, d'Isabelle d'Angoulême et enfin du fougueux Richard Cœur de Lion. Ce dernier, fervent participant de la troisième croisade, fut tué lors du siège de Châlus en avril 1199. Il avait demandé que sa dépouille reposât à Fontevraud, près de son père.

varié, de feuillage ou monstres, ou motifs géométriques.

A part ces quelques exemples ponctuels de sculpture concentrés sur les chapiteaux, l'intérieur de l'église est totalement nu et ne comporte ni autel, ni décoration. De plus, il ne subsiste que peu de traces des fameuses sépultures dressées dans le chœur pour les abbesses et bienfaiteurs qui y furent inhumés. Fontevraud servit également de sépulture princière à plusieurs membres de la dynastie des Plantagenêts. Seuls sont visibles aujourd'hui en haut de la nef, les tombeaux de Henri II, roi d'Angleterre et de sa femme, Aliénor d'Aquitaine, comtesse de Poitou, qui avait d'abord épousé Louis VII, roi de France, et fut répudiée en 1152. Après la mort d'Henri II, Aliénor, vieillie, se retira à Fontevraud, où elle mourut en 1204.

Le tombeau d'Isabelle, comtesse d'Angoulême, épouse de Jean sans Terre, et celui de Richard Cœur de Lion, second fils d'Aliénor et de Henri II, qui succéda à son père, sont visibles aussi. Richard Cœur de Lion, selon les circonstances ami ou ennemi de Philippe Auguste, roi de France, trouva la mort au siège du château de Chalus ; il était célèbre pour sa bravoure autant que pour sa cruauté. Ces tombeaux, selon l'usage du XIIᵉ siècle, sont surmontés de la statue couchée du défunt. Les deux rois, vêtus d'une longue robe et d'un manteau ouvert, sont couronnés et tiennent le sceptre. Aliénor est représentée avec un livre de prière entre les mains et Isabelle, les mains jointes. Les trois statues sont en pierre, sauf celle d'Isabelle, qui est en bois et plus petite. Leurs visages demeurent très impersonnels, ce qui peut étonner lorsque l'on a connaissance de la vie agitée qui fut la leur.

La façade de l'église est également très simple. Une porte en plein cintre dont l'arc a reçu des palmettes, précédée par trois arcs portés par des colonnettes à chapiteaux, donne accès à l'église. Ces derniers chapiteaux forment une frise ornée de chimères et leur tailloir est décoré d'entrelacs. Une fenêtre est percée au-dessus de la porte et quatre contreforts plats cantonnent la façade.

La partie supérieure de la façade, remaniée au XVIᵉ siècle, présente deux tourelles octogonales coiffées de toits très pointus. Le pignon est percé à sa partie supérieure de baies géminées, en accolade, surmontées d'une décoration flamboyante, et le comble est percé de deux meurtrières.

Une porte romane s'ouvre dans le côté nord de la nef qui a conservé son aspect ancien. L'extérieur, côté sud, est dissimulé en partie par le cloître. Parmi les anciens bâtiments de l'abbaye, les cuisines demeurent célèbres et attirent l'attention. Ce sont des constructions octogonales accostées de huit absidioles saillantes dont trois ont été supprimées au XVIᵉ siècle. Elles ont la particularité d'être couvertes de hautes pyramides en pierre taillées en écailles qui abritent des conduits de cheminée, chaque absidiole correspondant en effet à un foyer. C'est là sans doute un exemple unique et exceptionnel de cuisine remontant au début du XIIᵉ siècle.

Ci-dessus :

**Vue aérienne de l'abbaye
de Fontevraud**

*C'est en 1099 que l'ardent
prédicateur Robert d'Arbrissel vint,
après avoir parcouru plusieurs
régions, s'établir dans le site retiré de
Fontevraud, suivi par de nombreux
et fervents adeptes.*

*Il fonda alors une abbaye appelée à
devenir un des lieux illustres de la
France en tant que foyer de réflexion
et magnifique ensemble
architectural. Fait unique dans les
annales, c'est à une abbesse que fut
toujours confiée la direction de cet
ordre mixte.*

Vézelay

La gloire de Vézelay fut dès l'heure première marquée du glaive et des brasiers. Secoué maintes fois de troubles divers, émeutes ou tueries, consumé six fois par le feu, le monument s'est toujours trouvé opiniâtrement reconstruit, puis défait de nouveau et une dernière fois à nouveau rebâti.

La basilique Sainte-Madeleine siège telle le "...lumineux sommet où Vézelay se lève, solide et autoritaire comme l'acte de foi de la contrée..." Ce grand monument insigne, au chœur gothique primitif, qui s'ouvre par trois portails à tympan sculpté sur un narthex, domine au sommet d'une colline le bourg pentu. Au portail de la grande nef dans la pénombre du narthex siège l'immense Christ aux yeux sévères. De ses mains s'échappent les rayons de l'Esprit émis le jour de la Pentecôte pour que soient enfin évangélisés tous les peuples de la terre.

Les origines de la basilique remontent à Girart de Roussillon, duc de Lyon, régent de Provence en tant que tuteur du troisième fils de l'empereur, et héros légendaire de la chanson de geste du même nom au XIIe siècle. En effet, celui-ci décide en 860, avec son épouse Berthe, sur une terre lui appartenant au pied de Vézelay, la fondation d'un couvent de moniales. Ce couvent sera saccagé par les Normands peu après, et une fois reconstruit au sommet de la colline, occupé non plus par des femmes mais par des moines bénédictins.

Une nouvelle invasion des Normands eut lieu en 887 après que le roi Charles le Chauve leur eût livré la Bourgogne. Ils incendièrent et mirent à sac le foyer de vie religieuse. Les occupants se réfugièrent alors sur une butte qu'ils ne quittèrent plus par la suite, y reconstituant peu à peu leur fortune temporelle.

Les moines menèrent tout d'abord une vie obscure jusqu'à ce que vers l'an 1050 le bruit se répande que l'abbaye possédait des reliques de sainte Marie-Madeleine rapportées de Terre sainte par un moine du même lieu. Or il se trouve que vers la même époque se développe en Provence une légende selon laquelle Lazare le Ressuscité, Marthe, Marie-Madeleine, Trophime et d'autres compagnons du Christ auraient abordé peu après sa mort non loin de l'embouchure du Rhône, aux Saintes-Maries-de-la-Mer évangélisant le pays de Marseille, Arles, Aix et Avignon. Cette coïncidence de date suspecte entraîna une querelle violente entre les deux lieux se réclamant saints, jusqu'à l'obtention d'une bulle du pape Pascal en 1103 confirmant la sainteté de Vézelay et lui accordant par là même, la primauté sur le pays de Marseille et des Saintes-Maries-de-la-Mer.

Une période d'apogée vient alors. De toute la chrétienté une foule innombrable de pèlerins s'ébranle et accourt pour se prosterner devant les restes vénérables de sainte Marie-Madeleine. Des poètes, marchands et changeurs de toute sorte, se joignent à eux. L'abbaye atteint un tel développement qu'elle se double alors d'une ville qui atteindra huit à dix mille habitants au XIIe siècle. Lieu de pèlerinage par lui-même, Vézelay est aussi une étape obligée pour les fidèles venus d'Allemagne sur la route de Saint-Jacques-de-Compostelle, le grand pèlerinage par excellence.

Le 22 juillet pour la Sainte-Madeleine, une foule immense se presse et le pèlerinage triomphe dans la puissance, les encens, l'or, les parures et la touffeur des pèlerins rassemblés et entassés. A la fin du XIe siècle, la prospérité est telle qu'il est possible d'entreprendre de grands travaux. C'est ainsi qu'en 1096 l'abbé Artaud décide la construction de l'actuelle basilique de la Madeleine qui sera achevée en 1104. Malgré les nombreuses convoitises qu'attisent les richesses de l'abbaye parmi les autorités ecclésiastiques voisines, et des luttes acharnées au temporel comme au spirituel contre les comtes de Nevers et l'évêque d'Autun, le rayonnement de l'abbaye se maintient.

En l'an 1146, Vézelay est le lieu où se tient la grande assemblée qui décide le départ de la seconde croisade. Saint Bernard en personne y prêche le rassemblement en présence du roi Louis VII et de son épouse Aliénor d'Aquitaine, ainsi que du peuple des prélats, moines, chevaliers ou autres hommes. C'est encore à Vézelay que Thomas Beckett, l'archevêque de Cantorbéry, cherche refuge en 1166 lors de sa lutte contre le roi d'Angleterre Henri II. En 1190, enfin, les armées de Richard Cœur de Lion et de Philippe Auguste s'y retrouvent avant leur départ pour la troisième croisade. Les premiers signes de déclin se montreront ensuite et ne feront que se poursuivre avec le passage ravageur des huguenots puis la Révolution.

Par-delà toutes les infinies discussions d'historiens quant aux problèmes de datation, on peut simplement dire que la Madeleine de Vézelay restera toujours la merveille qu'elle est, à bien des titres. La basilique comprend une longue nef romane de dix travées, dotée de collatéraux. Un narthex de même largeur et lui-même de trois travées la précède. Puis vient le transept, en légère saillie, auquel succède le vaste chœur gothique.

Pages suivantes :

Vue intérieure de la nef

On entre ensuite dans l'édifice même avec la surprise de cette longue nef (de plus de soixante mètres), dans laquelle les arcades faites de claveaux aux teintes alternées rendent comme mouvantes les formes architecturales, rythmant ainsi les pensées du pèlerin qui s'avance vers le sanctuaire. Des arcs-doubleaux dont le rouleau extérieur est décoré de rosaces et le rouleau intérieur fait de claveaux alternativement clairs et foncés scandent chaque travée. Un bandeau orné de rosaces souligne également toutes les fenêtres hautes. Le narthex et la nef, romans, s'achèvent au-delà du transept à peine saillant par un chœur gothique et une abside à chapelles rayonnantes. L'ensemble constitue un bel édifice aux proportions grandioses largement éclairé par de grandes baies.

Une première dédicace du chœur et transept eut lieu en 1104 alors qu'existait encore la nef carolingienne : un incendie en 1120 la ravagera irrémédiablement. La construction se poursuit d'ouest en est et est achevée entre 1135 et 1145. Puis, après un incendie dans la crypte aux reliques en 1165, décision est prise de remplacer le chœur et le transept devenus trop exigus et sombres. Ainsi, en 1185 se trouve achevé le chœur, puis en 1215 le transept faisant la jonction avec la nef romane.

La nef frappe par son harmonie faite de régularité et de simplicité. L'élévation est à deux niveaux : grands arcs en plein cintre et fenêtres hautes. Les supports sont des piles cruciformes qui comportent une demi-colonne sur chaque face. Les grandes arcades dessinent un plein cintre légèrement outrepassé et se doublent vers la nef d'une archivolte de palmettes. Au-dessus des grandes arcades, et de chaque côté, court un bandeau de rosaces qui contourne les piles et les demi-colonnes.

L'éclairage est assuré par une fenêtre en plein cintre, dans chaque travée. Les bas-côtés sont voûtés d'arêtes soutenues par des arcs-doubleaux en plein cintre à double rouleau, de même que la nef. L'impression de richesse ornementale est donnée par la décoration sculptée d'une part, et par l'alternance de claveaux sombres et clairs d'autre part, dans les arcs-doubleaux, qui semble venue tout droit de l'Espagne musulmane par les pas des pèlerins.

Le narthex qui date des années 1140-1150 est d'une architecture tout à la fois austère et puissante. Il est bordé de bas-côtés avec des tribunes. Celle du centre plus richement décorée est la chapelle Saint-Michel. Les grandes arcades sont soutenues par des massifs cruciformes. L'ensemble est couvert de voûtes d'arêtes et de voûtes d'ogives sur certaines parties. Les chapiteaux des colonnes sont sculptés de feuilles et présentent de grandes similitudes avec ceux de Pontigny ou de Fontenay. Le narthex, ainsi qu'à l'église de Perrecy-les-Forges, englobe le portail de pénombre.

Du transept qui fait le lien avec la longue nef romane, on passe au vaste chœur gothique semblable à une ample conque qui conclut, dans un jaillissement continuel de lumière, la féerie polychrome de la nef. Par son élévation à trois étages, en particulier, le chœur présente des analogies avec les constructions de la même époque en Ile-de-France. Il est entouré d'un déambulatoire avec deux chapelles de plan carré de chaque côté, et cinq chapelles rayonnantes autour de l'abside. La couverture en est une voûte à cinq branches reposant sur des colonnes. Malgré quelques gaucheries il ne manque pas de provoquer un effet saisissant : la cause en est principalement cette forêt de colonnettes sur fond de basilique, taillées dans des pierres de couleurs variées, qui demeure une des beautés incontestables et incomparables de Vézelay.

Les travaux de 1106 se trouvèrent arrêtés lors de l'incendie de 1120 et lorsqu'ils reprirent, par la suite, tout fut mis en œuvre pour que l'éclat du programme tant architectural que décoratif réponde à la dignité du lieu saint et des reliques qu'il abritait. Une centaine de chapiteaux sculptés avec verve et beaucoup de sens décoratif présentent des sujets d'une fantaisie et d'une variété sans égales.

On peut admirer en particulier deux sujets de la mythologie païenne, l'éducation d'Achille et l'enlèvement de Ganymède, illustrant l'intérêt pour la renaissance antique tandis que de nombreux sujets bibliques sont évoqués : tels les fleuves du Paradis, la chute d'Adam et Eve, Caïn et Abel, la vie de Jacob, David et Goliath, Daniel dans la fosse aux lions ... sans oublier d'horribles démons échevelés qui rythment le tout en animateurs malfaisants et grimaçants de cette imagerie.

Le Christ, s'il n'est pas présent sur les chapiteaux, triomphe en revanche sur le portail occidental, qui est l'œuvre la plus émouvante et la plus achevée de la sculpture bourguignonne. Les portails latéraux sont ornés de scènes de l'enfance du Christ, ainsi que de l'Incarnation du Verbe et l'Apparition aux Apôtres. Ces deux scènes, Incarnation et Apparition aux Apôtres triomphantes de la Mort, se répondent, semblant annoncer la grande leçon : "Soyez mes témoins, allez, évangélisez toutes les nations". Cette leçon divine, le Christ lui-même la transmet, en messager du Père suprême. Il envoie, de ses mains étendues, le souffle de l'Esprit aux apôtres parmi le cortège sans fin des peuples de la terre qui marchent en procession au linteau et envahissent la courbure du tympan. On voit aussi les signes du zodiaque, les occupations des mois. Aux piédroits, les apôtres, tandis qu'au trumeau trône saint Jean Baptiste, le précurseur divin.

Ci-dessous :

Vue générale du site

Sise au sommet d'une colline, au flanc de laquelle s'échelonnent les maisons du village qui s'est constitué autour d'elle, la basilique de la Madeleine offre un des plus beaux panoramas de la Bourgogne. De là commença l'aventure épique des croisades à l'instigation de saint Bernard, Louis VII, Richard Cœur de Lion, Philippe Auguste ou saint Louis.

En quelques lignes, André Malraux a défini tout le caractère de ce site imprégné de foi et d'histoire : "... A Moissac, à Autun, à Vézelay, le Christ domine encore le tympan par sa dimension, par la fascination qu'il semble exercer sur chaque ligne. Mais avant tout parce qu'il est devenu le sang vivant des prophètes, des morts ou des vivants qui l'entourent ou le contemplent, des signes du zodiaque qui ne seraient sans lui que des astres absurdes..."

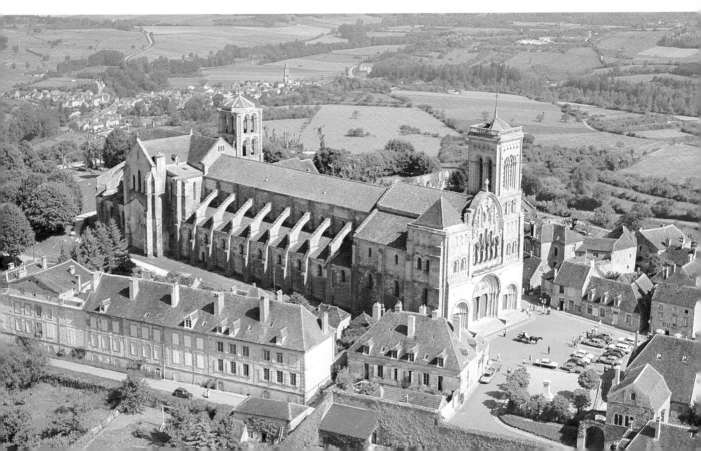

Ci-dessous :

Vue intérieure du narthex

La présence du narthex est une réminiscence de l'église-porche carolingienne, caractérisée à Vézelay, par l'emploi systématique de l'arc brisé alors que dans la nef, le maître d'œuvre n'a utilisé que l'arc en plein cintre. La troisième travée jouxtant le portail est couverte d'une tribune qui ouvre sur la nef par deux vastes baies et une ouverture rectangulaire. Tout pèlerin est confronté dès l'arrivée avec le grand portail, qui représente toute la mission évangélique de l'Eglise.
La composition savante du tympan illustre en effet la parole biblique :
"Prépare-toi, Israël, à rencontrer ton Dieu".
Le Christ en majesté accueille tous les peuples de la terre qui viennent à lui au linteau, donne sa lumière aux apôtres saint Pierre et saint Paul représentés aux piédroits, et justifie de sa présence les signes du zodiaque ou les travaux des mois visibles sur les voussures.

Page en regard :

Un chapiteau de la nef

Les sculptures du portail central du narthex, martelées à la Révolution, furent entièrement refaites. Mais le portail d'entrée dans la nef ainsi que les nombreux chapiteaux (on en compte plus de cent) de la nef, sont demeurés intacts, et comptent parmi les chefs-d'œuvre de la sculpture romane.
Ces chapiteaux illustrent d'innombrables histoires pleines de verve, tel ici, saint Martin qui écarte un arbre dont la chute le menace. Malgré le désordre apparent de l'ensemble, le programme iconographique des imageries de Vézelay est très cohérent, centré autour de la gloire de Dieu, de la concordance entre les deux Testaments, ou de la lutte contre le démon. Selon l'avis de Mr F. Salet, l'abbé de Cluny, Pierre le Vénérable, aurait fourni aux sculpteurs les sujets de toutes ces œuvres.

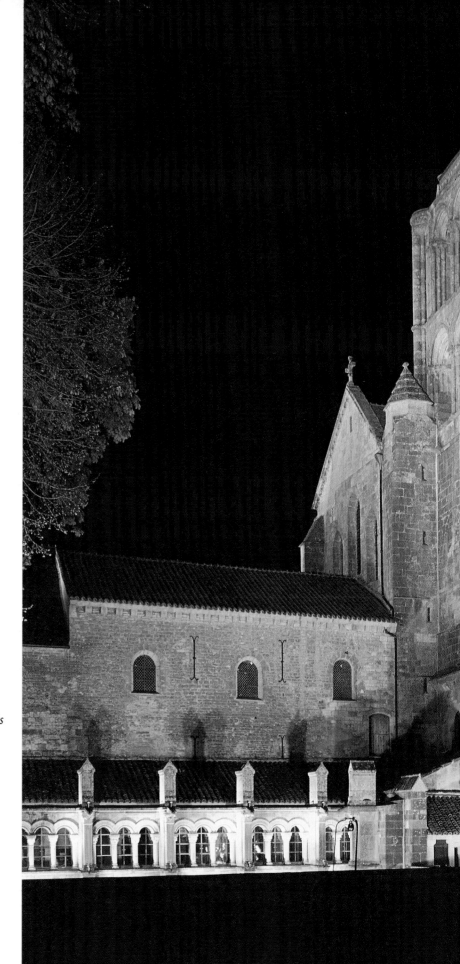

Vue générale extérieure côté sud

Pour contrebuter les fortes poussées des voûtes s'exerçant immanquablement sur les murs, les minces contreforts de la nef ne pouvaient suffire. Des barres de fer, ou tirants, avaient déjà été placées à la naissance des arcs-doubleaux, mais s'étaient révélés également insuffisants. Cela explique donc la présence des arcs-boutants, simples, qui ceinturent et solidifient efficacement tout l'édifice.
A l'angle de la nef et du croisillon sud s'élève, sur une souche aveugle, une tour de deux étages largement ouverts de baies. Les contreforts qui montent du sol aux angles se changent alors en grosses colonnes engagées séparées par une mince colonnette.

Saint-Gildas-
de-Rhuys

La christianisation, consécutive aux migrations bretonnes du IVe siècle et surtout du VIe siècle, a fait qu'un grand nombre de stèles, menhirs ou autres pierres païennes, ont été conservés et marqués du signe de la croix au lieu d'être détruits. Cela explique que le signe de la croix s'est trouvé très tôt inscrit dans le granit breton et qu'il faut désormais apprendre à lire, par-delà les morsures du temps ou l'envahissement des lichens, ces témoins durables de la foi que sont les croix bretonnes. Les croix celtiques avec un nimbe à hauteur des branches se rencontrent volontiers ; mais on ne verra que très peu de représentations du Christ, et à plus forte raison d'autres personnages.

Les églises bretonnes sont des édifices originaux, faits de granit et pleins de charme, en accord avec le paysage qui les entoure.

Les Romains déjà étaient installés dans la région, puisque la voie romaine de Vannes à Port-Navalo traverse la commune, mais le monachisme est lui à l'origine de la naissance et du développement de l'agglomération de *Saint-Gildas-de-Rhuys*, dans le golfe du Morbihan. Cette petite ville pleinement orientée vers l'Atlantique est largement exposée au vent, aux pluies, aux ouragans et autres intempéries qui ne sont pas sans influence sur les églises de la région. Les forêts alentour étaient connues pour leur gibier abondant, et c'est en ce lieu sauvage que "Gildas le Sage vint à un castrum sur le mont Rhuys en vue de la mer et là il construisit un monastère", ainsi que le raconte Vitalis, moine de Rhuys, dans ses "Vitae" au XIe siècle.

Le moine Gildas, né en Angleterre en 490, était fils d'un pieux seigneur dont tous les enfants se sont consacrés au service divin. C'est dans le monastère de Lan Iltut, où il entre dès l'âge de quatorze ans, que Gildas a rencontré les autres saints fondateurs en Armorique, Magloire, Pol et Aurélien. Il revint à Lan Iltut après avoir passé trois ans dans un monastère irlandais, fondé par saint Patrick, et plusieurs missions évangélisatrices lui sont alors confiées. Au retour d'un pèlerinage à Rome, il passe par l'Armorique et se retire dans un premier temps à l'île d'Houat où il édifie une petite chapelle. Puis ce lieu-dit étant devenu trop exigu pour accueillir ses nombreux disciples, le groupe rejoint le continent, à Rhuys.

Guerech, le chef du pays de Vannes, fait don à Gildas de son castrum sur les bords de l'océan, où il peut fonder un monastère qui adopte la règle irlandaise de saint Colomban, telle qu'il l'avait formulée à Luxeuil. Après un nouveau séjour en Irlande, et une retraite solitaire sur les bords du Blavet où il écrivit en 543 "Le Livre des Lamentations sur les ruines de la Bretagne", Gildas revint à Rhuys, puis s'installa de nouveau à l'île d'Houat où il mourut en 569.

Lors des invasions normandes, les moines bretons de saint Gildas et Locminé durent aller se réfugier en 919 dans le Berry, où Ebbon le seigneur de Déols les accueillit. Ils y ont édifié une chapelle au Bourg-Dieu, ainsi qu'un monastère qui subsista jusqu'en 1622.

Le comte de Bretagne fit appel au début du XIᵉ siècle à Gauzlin, abbé de Fleury, pour lui demander de l'aide afin de restaurer les deux monastères bretons. Trente abbés se succédèrent ainsi à la charge de l'abbaye, dont l'un des plus connus est Abélard, de 1128 à 1141. L'abbaye fut mise en commende en 1506 et la congrégation de Saint-Maur s'y installa en 1649, puis la mense abbatiale fut unie à celle de Vannes, en 1772. Tous les documents concernant les biens du monastère donnent des indications non négligeables sur le temporel de cette abbaye dédiée à saint Gildas. Dans toute la Bretagne, de nombreuses chapelles, oratoires ou lieux-dits, témoignent du rayonnement qu'a connu le culte de saint Gildas.

De nombreuses périodes de troubles sont mentionnées dans la chronique de l'abbaye, à la suite desquelles des détériorations dans les bâtiments se sont produites, car Saint-Gildas-de-Rhuys a dû subsister au "péril des ouragans", comme en témoigne l'histoire de son église. Seuls le transept et le chœur ont subsisté de l'ancienne abbaye romane, la nef date entièrement du XVIIIᵉ siècle. Hormis les chapelles, le chœur et une bonne partie du transept datent donc de la fin du XIᵉ siècle, tandis que le XIIᵉ siècle a vu des travaux de décoration ainsi que la remise en état des chapelles absidales. On peut, pour ces travaux, avancer la date de 1184, à laquelle eut lieu la levée du corps de saint Gildas. Un narthex, à l'entrée occidentale de l'église, ne faisait qu'accentuer ses ressemblances avec Saint-Benoît-sur-Loire. Des traces de ce narthex étaient encore visibles avant la réfection de la place qui entoure l'église.

L'édifice a un plan en forme de croix latine et son transept possède deux croisillons. Un déambulatoire sur lequel s'ouvrent trois chapelles absidales entoure le chœur. Sur le croisillon nord se trouve une petite chapelle voûtée en cul-de-four, à côté de laquelle on peut

Page suivante :

Vue extérieure du chevet

De l'ancienne chapelle de Félix, consacrée en 1032, ne restent aujourd'hui que le chœur et le transept, la nef ayant été reconstruite au XIᵉ siècle.
C'est au moine Félix que la communauté de Saint-Gildas-de-Rhuys doit sa restauration au début du XIᵉ siècle, il en est devenu d'ailleurs le premier abbé ; la communauté a connu ensuite alternativement des périodes de régularité ou de relâchement dans sa discipline monastique. Une lettre d'Abélard, qui fut abbé de 1128 à 1141, à un de ses amis, en donne un bon témoignage. De plus, des périodes de troubles ont souvent entraîné une détérioration des bâtiments accentuée par un manque d'entretien et des conditions climatiques particulièrement rudes pour les constructions de la région, comme il est mentionné dans la chronique de l'abbaye.
Le chœur, hormis les chapelles et une bonne partie du transept, date donc de la fin du XIᵉ siècle. On remarque l'utilisation de la pierre locale en blocage, le gneiss, dans les parties anciennes, dont certaines présentent également la particularité d'avoir été posées en épi, selon un appareil typique. Les contreforts, taillés dans le granit, s'élèvent jusqu'à la toiture soutenue par des modillons romans sculptés pour certains de têtes d'ours. Une pierre sculptée, représentant le combat de deux chevaliers, est insérée au-dessus de la fenêtre centrale de l'abside.

Page en regard :
Intérieur du chœur
*A Rhuys, dès 1032, est apparu le
plan de l'église romane complète (à
déambulatoire et chapelles
rayonnantes) tel qu'il sera utilisé en
Poitou, Auvergne ou Ile-de-France.
La rangée des sept petites arcades
aveugles et sans aucune mouluration
disposée dans le chœur est un des
traits propres à la région de la Loire,
que l'on retrouve aussi dans l'église
de Loctudy. On admirera, in situ, les
chapiteaux du chœur d'une
impressionnante beauté, avec leurs
sobres motifs végétaux très stylisés,
les crossettes et surtout les motifs de
spirales et d'enroulements
concentriques typiques, de forte
inspiration celtique.*

voir deux enfeus géminés, voûtés, que sépare un pilier portant les arcs. Ces derniers abritent les tombeaux des saints Félix et Riocus, abbés, que l'on peut identifier grâce à une inscription.

Le chœur se compose de deux travées droites, dont les arcades en plein cintre sont portées par des piles cruciformes. Puis suit un rond-point semi-circulaire de quatre colonnes reliées par des arcatures aveugles, dénuées de toute mouluration. Le déambulatoire est couvert de voûtes d'arêtes soutenues par des arcs-doubleaux. Une baie en plein cintre très ébrasée vers l'intérieur éclaire chaque travée. Les chapelles rayonnantes sont voûtées en cul-de-four, chacune étant pourvue de trois simples baies en plein cintre, une axiale et deux latérales, sans mouluration. La chapelle du centre comporte une travée droite voûtée en berceau.

La décoration essentiellement végétale, de crossettes pour marquer les angles et d'autres motifs variés parsemés de quelques feuilles, appartient sans doute à plusieurs périodes différentes. Les bases ont aussi un décor varié, utilisant souvent des motifs géométriques. La toiture à la hauteur de laquelle s'élèvent des contreforts en granit, est soutenue par une corniche à modillons sculptés de masques ou de figures diverses.

Notre-Dame-de-Daoulas

Plusieurs hypothèses se présentent pour expliquer l'origine du nom de ce bel ensemble architectural, groupé autour d'une abbaye renommée, au fond de l'estuaire de la rivière de Daoulas. L'une d'entre elles serait en particulier un double meurtre, celui de saint Tudec et de saint Hamon, qui aurait, en mesure expiatoire, suscité la fondation de l'abbaye, dont la date demeure incertaine.

Un petit monastère bénédictin devait exister depuis le VIe siècle ruiné par le passage des Normands de telle sorte qu'en 1167, le comte de Léon Guyomar'ch et sa femme Nobile fondèrent ou restaurèrent l'abbaye, dont la donation est confirmée par l'évêque de Cornouaille avant que les moines ne s'y installent en 1170-73. On peut d'ailleurs souligner qu'il s'agit sans doute du premier établissement de chanoines réguliers de Saint-Augustin en Bretagne qui est resté toujours sous l'autorité spéciale de l'évêque de Quimper.

De même qu'à Redon, la présence du monastère entraîna la venue de quelques particuliers et provoqua ainsi la formation d'une petite ville. L'abbaye de Daoulas connut un prestige important et ses bénéfices furent nombreux, mais cela n'empêcha pas sa dégradation. Après la Révolution et les ventes successives l'église était demeurée lieu de culte, mais les paroissiens n'eurent pas de quoi subvenir aux réparations nécessitées par l'état déplorable des lieux.

Cependant l'église Notre-Dame-de-Daoulas, édifice austère s'il en est, a conservé une certaine grandeur après avoir subi à plusieurs reprises des modifications et amputations.

En effet, la nef s'est trouvée réduite de douze mètres car toute une partie était en ruine et le clocher a été détruit à la Révolution sans être jamais remplacé. Le bas-côté sud, élargi, fut ramené pour les besoins du culte aux dimensions du bas-côté nord. Le chœur semi-circulaire et les chapelles latérales datent de 1875. La nef de sept travées est pourvue de deux collatéraux dont seul celui du nord est roman. De hautes et étroites fenêtres l'éclairent et un grand arc diaphragme la sépare du chœur. Les bas-côtés s'ouvrent sur la nef par de grandes arcades en plein cintre, à double rouleau, fait de claveaux bien appareillés. Elles sont soutenues de hautes piles (de cinq mètres), cruciformes, s'achevant par de simples tailloirs, hormis les deux premières qui font exception avec leur forme ronde. Selon une disposition peu courante en Bretagne, le mur de façade plat et épais à la base, va en s'amincissant au fur et à mesure qu'il s'élève. Il ne possède de contreforts qu'à partir des trois baies en plein cintre qui l'ajourent. Il s'achève par un simple pignon triangulaire.

Deux arcatures en plein cintre, à double rouleau et sans aucun décor, entourent le portail en plein cintre également, selon un caractère proche de l'école du Poitou. Des colonnettes d'angle munies de chapiteaux à crochets portent les archivoltes. Les seuls motifs géométriques décoratifs, des étoiles à six branches et entrelacs, sont sculptés sur une arcature, tandis que le portail est décoré, à l'intérieur, de tores et de gorges retombant sur des colonnettes par l'intermédiaire de chapiteaux dont les tailloirs portent des étoiles en creux.

Plusieurs ventes successives ont fait que le cloître a subi de nombreuses mutilations au cours des âges, depuis la première en 1793.

Ce monument unique de l'époque romane en Bretagne comprend sur chaque face douze arcades portées par des colonnes jumelées et même quadruples aux angles. Celles-ci sont munies de chapiteaux sculptés de motifs divers de feuillages, tandis que les tailloirs portent des motifs géométriques et des crossettes aux angles. D'autres motifs géométriques variés sont visibles sur les arcades ainsi que sur une curieuse et rare vasque aux ablutions, de forme octogonale, située au centre du cloître et qui en est couverte. Ce riche décor évoque à n'en point douter l'inspiration irlandaise archaïque, bien antérieure sans doute au cloître daté du XIIe siècle. D'autres éléments sont visibles tels que la façade d'une ancienne salle capitulaire demeurée en place, à l'est, et un porche du XVIᵉ siècle. De plus une fontaine et un oratoire dédié à Notre-Dame-des-Fontaines se trouvent dans le jardin qui jouxte le cloître.

Pages suivantes :

Le cloître

Un contraste étonnant frappe le visiteur lorsqu'il découvre l'église de granit, toute simple et très sobre, et la décoration élégante du petit cloître attenant.

Le cloître avait subi beaucoup de mutilations depuis la première vente de l'église ayant appartenu à divers propriétaires dont certains n'avaient pas hésité à en revendre des fragments aux amateurs. Ce monument unique de l'époque romane en Bretagne est composé sur chaque face de douze arcades portées par des colonnes alternativement simples et jumelées. Elles possèdent toutes d'élégants chapiteaux, sculptés avec maestria, de feuillages variés. Les tailloirs portent des motifs géométriques divers ainsi que des crossettes qui se retournent aux angles. Certaines arcades sont décorées à l'extérieur de losanges, dents de scie et étoiles. La première, d'une série de bâtons entrecroisés. On admirera également la curieuse vasque aux ablutions disposée au centre du cloître, de forme octogonale et portant de chaque côté une tête plate, sous forme d'un masque avec un orifice dans la bouche. Un très riche décor couvre toute la surface entre deux masques : étoiles, motifs de vannerie ou losanges. On peut sans doute y voir une inspiration irlandaise archaïque, antérieure au cloître lui-même du XIIᵉ siècle.

Fontenay

Une des caractéristiques essentielles de l'abbaye de Fontenay, sa simplicité, frappe immanquablement le visiteur : l'abbaye commence par se dérober aux regards, cachée au cœur d'un vallon boisé parsemé d'étangs ; de plus l'aspect très massif, voire trapu et nu de l'église sans clocher, fait qu'on la distingue à peine des autres bâtiments d'exploitation qui l'entourent.

Malgré cette simplicité significative que l'on remarque d'emblée, il faut savoir avant tout que l'abbaye de Fontenay occupa une place majeure dans l'art cistercien.

Elle est non seulement l'abbaye la plus ancienne qui nous soit parvenue intacte, mais également l'un des premiers exemples d'architecture cistercienne, que l'on trouve ici dans son aspect le plus pur et cependant le plus achevé.

Construite sous la direction de saint Bernard, sur le même plan que Clairvaux, elle est le témoin parfait de ses idées sur la simplicité et le dépouillement en architecture, telles qu'il les avait exprimées avec force dans son Apologie, en 1125, texte destiné à son ami Guillaume, abbé de Reims. Cela explique que l'on retrouve de façon évidente dans tous les édifices cisterciens et plus particulièrement à Sénanque, ou au Thoronet, des caractères semblables de dépouillement, voire d'austérité.

Le fondateur de l'ordre cistercien est Robert de Molesmes, dont la quête de perfection ne se trouve pas isolée en cette fin du XIe ou au début du XIIe siècle, poursuivie par bien d'autres ordres ou hommes. Les débuts sont pénibles, mais l'ordre connaît bientôt une stupéfiante progression, de telle sorte qu'il peut à son tour essaimer entre 1113 et 1115, par la fondation de quatre abbayes majeures "filles" de l'ordre. C'est de l'une d'elles qu'est issue Fontenay.

Saint Bernard, peu après sa fondation de l'abbaye de Trois-Fontaines en Champagne, alors qu'il est jeune abbé de Clairvaux, envoie en 1190 quelques moines à Fontenay, sur un domaine que lui ont donné les seigneurs de Touillon et de Montbard auxquels il est apparenté par sa mère.

Le lieu choisi par les fondateurs est arrosé par un affluent de l'Armançon, sur l'emplacement d'un petit ermitage. Le développement rapide de la communauté nécessite un lieu plus approprié et, en 1130 les religieux s'installèrent un peu plus bas dans la vallée, sur un site si humide et sujet aux inondations, qu'il leur fallut déjà pour l'assainir, drainer et défricher le terrain avant de songer à y construire le monastère. C'est donc à sa situation au milieu des eaux que Fontenay — Fontenaium : "qui nage dans la fontaine" —, doit son nom.

La construction du monastère tel qu'on l'admire aujourd'hui est alors entreprise par l'abbé Guillaume, auquel la générosité de l'évêque anglais Ebrard de Norwich, qui était venu chercher refuge à Fontenay, où il fut d'ailleurs enseveli, apporta une aide non négligeable. L'église dont la construction débute en 1139 est achevée en 1147 et la consécration solennelle a lieu le 21 septembre de cette même année, par le pape Eugène III.

Les bâtiments du monastère subsistent dans leur totalité ou presque, y compris une forge construite sur le cours d'eau et un colombier du XIIIe siècle, de telle sorte que Fontenay, hormis son réfectoire disparu représente l'un des plus beaux et, des plus complets ensembles monastiques de l'ordre de Cîteaux. Elle doit à la protection papale et royale ainsi qu'à l'intérêt des ducs de Bourgogne et seigneurs de la région, de prospérer rapidement.

Certains événements regrettables, tels la guerre de Cent Ans, ou le passage de bandes de pillards, ont malheureusement troublé de façon intempestive la vie laborieuse et paisible des moines, pillant et mettant à mal le monastère et ses possessions. Afin de se protéger, l'abbé Nicolas décide d'élever une solide muraille d'enceinte autour de l'abbaye, mais ce, sans grand succès. Une nouvelle période de prospérité survint cependant à la fin du XVe siècle, avant que ne s'amorce la décadence du XVIe siècle. Après la commende et les guerres de Religion, le délabrement des bâtiments était tel qu'il fallut, au milieu du XVIIIe siècle, détruire le réfectoire qui menaçait ruine.

Suite à la Révolution, les religieux une fois dispersés, l'abbaye et ses domaines furent mis en vente et acquis tout d'abord par un fabricant de papier attiré sur le site par l'abondance des eaux.

Les célèbres frères Montgolfier prirent la suite et donnèrent à la fabrique de papier le bel essor que l'on connaît, jusqu'au XIXe siècle, époque à laquelle le nouveau propriétaire entreprit une restauration complète des bâtiments, œuvre de longue haleine, menée avec soin et qui restitua ainsi à Fontenay son visage originel dans la solitude et le silence du vallon.

Tout comme aux temps anciens, la porterie du Moyen Age qui subsiste encore accueille le visiteur. Une statue de la Vierge, patronne de toutes les abbayes cisterciennes, veille sur Fontenay, dans une petite niche au-dessus de la porte. On ne distinguerait guère, à la limite, la façade de l'église d'une entrée de grange, tant elle est simple. Le portail est surmonté d'une archivolte en plein cintre portée par deux colonnes. Deux contreforts l'encadrent suivant la largeur de la nef.

Les ferrures de la porte, modernes, suivent les traces des ferrures primitives, encore visibles. Entre les deux contreforts, s'alignent quatre petites fenêtres en plein cintre d'une part, et trois autres au-dessus. Seule la fenêtre du milieu, plus grande que les deux autres, est ornée d'une archivolte en boudin portée par deux colonnettes. Un narthex dont on a retrouvé les fondations était autrefois appliqué sur la façade, humble et harmonieuse, de cette église monacale qu'aucune tour ne domine.

Sa grande simplicité, l'aspect monumental, les proportions équilibrées et le soin apporté dans les détails de la construction frappent lorsque l'on pénètre dans l'église. Les murs sont faits de petits moellons, mais on a utilisé des pierres de taille pour les piliers, arcades, piédroits et contreforts.

Le plan de l'église, très simple, est en forme de croix latine. La nef se compose de huit travées. Elle est voûtée de berceaux brisés de même que ses bas-côtés, et ne comporte pas de fenêtres hautes. Des arcs-doubleaux soutenant les berceaux marquent chaque travée. Les piliers sont de plan cruciforme, ornés de pilastres et de colonnes engagées dont les chapiteaux sont sculptés de feuilles d'eau. Les bas-côtés, couverts de voûtes en berceaux brisés transversaux constituent en fait une série de chapelles communicantes, qui contrebutent la voûte de la nef. Ce système de voûtement équilibré, dont l'origine est bourguignonne, se retrouve dans plusieurs églises cisterciennes : Trois-Fontaines en Champagne, l'Escale Dieu en Gascogne ou encore Silvanes, en Rouergue.

La voûte en berceau brisé est utilisée également pour couvrir le transept et ses croisillons. Ces derniers, moins élevés que les bas-côtés de la nef, s'ouvrent à leur extrémité orientale par un arc en tiers-point sur deux chapelles carrées. Ces chapelles couvertes de la même façon communiquent entre elles et avec le sanctuaire par des arcs en plein cintre.

Le sanctuaire ne comprend que deux travées et s'achève à l'est, dans une simplicité désarmante, par un mur plat, suivant en cela les principes de saint Bernard. De même hauteur que les croisillons, il est aussi couvert d'une voûte en berceau brisé et éclairé par deux rangs de fenêtres superposées, percées dans le mur plat. Cinq autres fenêtres étagées dispensent aussi de la lumière dans le sanctuaire, au-dessus de l'arc triomphal. L'austérité, voire la rigueur de l'architecture, et la grande pureté de la modénature contribuent ici à rendre évidentes les proportions admirables et la grandeur de l'ensemble.

On trouve à Fontenay tout entier exprimé l'esprit de saint Bernard. En effet, celui-ci, en réformateur de l'ordre de Cîteaux, réprouvait et bannissait tout le décor superflu, utilisé en particulier dans les églises clunisiennes, les ornements extérieurs ne pouvant, selon lui, que distraire l'homme, être spirituel par essence, de sa prière et contemplation méditative.

Les quelques sculptures visibles dans l'église sont postérieures à saint Bernard, mais présentent de beaux exemples de la statuaire médiévale. Un retable en pierre, en trois fragments du XIIIe ou XVe siècle, est au fond du sanctuaire. Il trace des scènes de la vie de Jésus-Christ et Marie; on pense qu'il s'agit d'ailleurs du retable de ce maître-autel. Dans le mur du sanctuaire on peut voir également une belle piscine rectangulaire. Plusieurs tombeaux mutilés au cours des âges ont été rassemblés en ce même endroit, où l'on peut voir, enfin, une statue de la Vierge à l'enfant haute de deux mètres, et qui incarne bien, dans sa sérénité, l'esprit de l'abbaye.

La toiture de la nef, du transept et du sanctuaire est faite de tuiles creuses posées sur un blocage de mortier, à même la voûte. Les bas-côtés et chapelles des croisillons sont couverts de charpentes en appentis.

Il n'y a pas, à Fontenay, de clocher, ceci toujours en accord avec l'esprit de l'ordre, qui y voyait le symbole des droits seigneuriaux exercés par les grandes abbayes, et auxquels ils avaient bien entendu renoncé. Les deux cloches sont groupées dans un petit campanile à deux arcades, dressé au-dessus du pignon du croisillon sud.

Les bâtiments abbatiaux, selon l'usage cistercien, sont groupés autour du cloître, qui est situé au sud de l'église. Contemporain de l'église, le cloître demeuré intact est l'un des plus beaux que l'on connaisse. On peut remarquer, le dépouillement y étant moins poussé que dans l'église, son aspect un peu plus souriant. Le décor des chapiteaux, s'il est toujours très sobre, est cependant un peu plus fouillé.

Le cloître forme un rectangle de pierre de trente-huit mètres sur trente-six, dont chaque galerie est composée de huit arcades en plein cintre reposant sur de gros piliers. Ces arcades sont elles-mêmes subdivisées en des arcs plus petits, également en plein cintre et soutenus par des colonnes géminées, supportant le tympan, percé d'un oculus.

Toutes les galeries sont couvertes d'une voûte en berceau, sauf la galerie ouest couverte d'une voûte d'arêtes. Les quatre coins du cloître sont marqués par de forts piliers entourés de colonnes géminées. Leurs chapiteaux sont sculptés de feuilles d'eau recourbées à leur extrémité, de façon à supporter les angles du tailloir. Les bases des colonnes ont un socle rectangulaire.

La salle capitulaire, de même époque que le cloître, s'ouvre sur sa galerie orientale par une grande arcade et deux baies en plein cintre disposées de part et d'autre de cette arcade. Dans cette salle, à double nef, voûtée sur croisée d'ogives qui sont ici employées pour la première fois, chaque matin se réunissait la communauté des moines afin de procéder à la coulpe, ou accusation publique de ses fautes.

Page suivante :

Le cloître

On retrouve dans le cloître, construit simultanément, le même caractère de dépouillement volontaire, que dans l'église. Resté intact, sans étage, et couvert d'un toit en appentis garni de tuiles creuses, il est l'un des plus beaux que l'on connaisse.

L'aspect en est cependant un peu moins sévère que dans l'église : le décor des chapiteaux est toujours sobre mais plus fouillé, en accord avec le léger relâchement de pensée que les moines pouvaient s'autoriser au sortir de la prière dans l'église.

Rectangulaire, et soigneusement conçu, il se compose de huit arcades, elles-mêmes divisées en deux petites arcades chacune, soutenues par des colonnes géminées supportant le tympan.

De forts piliers entourés de colonnes géminées marquent les quatre coins du cloître. Le seul motif sculpté visible est celui des feuilles d'eau aux chapiteaux ainsi que quelques motifs d'enlacements de rubans sur les pilastres, le tout demeurant extrêmement sobre.

Page en regard :

La salle capitulaire

Cette salle du chapitre est de la même époque que le cloître. Une grande arcade en plein cintre, accostée de deux baies, permet le passage de la galerie orientale du cloître, dans celle-ci. Divisée en deux nefs de neuf travées, par huit colonnes, elle était à l'origine de forme carrée.

La voûte sur croisée d'ogives a été largement utilisée pour couvrir cette salle où se réunissait chaque matin la communauté des moines. Les chapiteaux des colonnes, très simples, sont ornés de feuilles d'eau. Deux petites salles flanquent le chapitre, l'une servait de sacristie, l'autre de parloir.

Deux petites salles servant de sacristie et de parloir flanquent le chapitre. On trouve ensuite la salle des moines. Plus simple que le chapitre, elle est divisées en deux nefs, voûtées sur croisée d'ogives et se trouvait, depuis le XIIIe siècle, affectée au travail des moines.

Le dortoir commun se trouvait à l'étage de l'aile orientale. Suite à un incendie, il fut reconstruit partiellement à la fin du XVIe siècle. Dans le coin du cloître près de la salle des moines, se trouve le chauffoir.

Outre la forge, grand bâtiment du XIIIe siècle, de cinquante-trois mètres de long construit au bord du canal et qui fournissait à l'abbaye sa force motrice, on trouve encore le réfectoire ainsi que d'autres dépendances, telles l'enfermerie ou prison, le logis des hôtes, la chapelle des étrangers, ou la boulangerie, qui complétaient l'ensemble du monastère.

Ainsi se présente dans sa totalité l'abbaye bourguignone de Fontenay, qui demeure l'un des exemples les plus parfaits de l'architecture cistercienne, incarnant fidèlement le génie ardent de saint Bernard.

Vue aérienne de l'ensemble des bâtiments

Fontenay est avec Noirlac l'abbaye cistercienne la plus complète qui nous soit parvenue. Fondée en 1119 par saint Bernard, elle est une fille de Clairvaux, et par là même de Cîteaux. Moins de dix ans ont suffi pour construire cet édifice qui présente le grand intérêt d'être voûté en berceau brisé, et non pas sur croisées d'ogives comme le seront les autres églises cisterciennes, à la suite de Pontigny. Les bâtiments conventuels étaient tous terminés à la fin du XIIᵉ siècle, et se présentent aujourd'hui tels qu'ils étaient alors, groupés autour du cloître et de la salle capitulaire : à savoir, le dortoir, très endommagé après un incendie, reconstruit en partie à la fin du XVᵉ siècle. Sa belle charpente en châtaignier du XVIᵉ est encore visible. La salle des moines, le chauffoir, situé près de cette salle dans un coin du cloître, a deux rares cheminées avec des lanternons du XIIᵉ. Le réfectoire, détruit en 1745, mais connu par un plan, se composait d'une grande salle voûtée divisée en deux nefs.

La forge est un grand bâtiment de la fin du XIIᵉ construit le long du canal afin d'en utiliser la force motrice. D'autres dépendances existaient également, telles que l'enfermerie ou prison, le logis des hôtes, la chapelle des étrangers ou la boulangerie.

Ci-dessous :

Le scriptorium

Si le travail manuel comptait, par la force des choses, pour beaucoup, outre les heures de prière, dans les activités quotidiennes des moines, il *en est une qui, de tout temps, leur a été spécifiquement réservée : dans le scriptorium, en effet, se trouvaient conservés les précieux manuscrits recopiés au fil des âges par les moines et transmis en patrimoine historique. Ainsi se trouvent sauvegardés à* *Fontenay, malgré le passage parfois dévastateur du temps, ou des hommes, l'atmosphère de l'art cistercien et le tempérament ascétique mais passionné de son fondateur : saint Bernard.*

Page en regard :

Vue extérieure du cloître et du colombier

La communauté de Fontenay, qui, jusqu'à la guerre de Cent Ans, comptait plusieurs centaines de *moines, avait pour activité essentielle les travaux des champs et vivait, pour ainsi dire, en monde clos. Ce principe explique la présence des différents corps de bâtiments, tels que le colombier, la boulangerie pour y fabriquer le pain, la forge où* *étaient produits l'outillage et les attelages, grâce à l'utilisation de la force motrice. La communauté vivait donc facilement en autarcie, selon les principes cisterciens, pratiquant une économie fermée.*

Cluny

C'est bien le nom le plus célèbre de l'histoire monastique française que l'on voit en Cluny, dont le rayonnement et la puissance fascinent toujours et suscitent encore d'innombrables interrogations aux historiens.

Le cruel dilemme du refus ou de l'acceptation du monde a toujours déchiré le Moyen Age, en une période ascétique au Xe siècle (avant la fin du monde qui était attendue pour l'an 1000), qui s'est peu à peu transformée sous l'influence de la chevalerie, en une douceur de vivre plus courtoise. Ce dilemme ne fut pas sans influence sur l'architecture romane qui, d'une grande rigueur dans ses premiers temps, a évolué en une sorte de "magnificence", pour des œuvres plus tardives.

Les ordres religieux vivant en dehors du monde ont connu la même problématique : nés dans l'ascétisme, ils s'en sont éloignés pour participer de plus près à la vie du siècle, et des réformes se sont parfois imposées. Ainsi, saint Benoît a donné en 528 au mont Cassin sa règle de vie aux bénédictins, basée sur le double principe de la prière et du travail. Saint Odon, en l'an 900 à Cluny, voulut rendre à ses moines une plus grande ferveur spirituelle, en subordonnant le pouvoir temporel au spirituel.

Les trois édifices qui se sont succédé à Cluny résument à eux seuls l'histoire de l'architecture bourguignonne. Le monument, victime d'un urbanisme dévastateur, a été détruit, ou presque, en 1811 afin d'ouvrir une rue. Il n'en reste qu'un croisillon et un clocher dit de "L'Eau bénite".

Tout un univers monastique gravitait dans une ambiance culturelle rayonnante autour de l'abbaye qui en était l'âme. Une nombreuse documentation, fournie par des descriptions, actes de dénombrement ou chroniques, est utile pour suivre en détail l'étude du monument.

L'abbé Bernon, homme sage et déjà expérimenté, s'est trouvé le premier à la tête de l'abbaye fondée en 910 par Guillaume le Pieux, duc d'Aquitaine et également comte d'Auvergne et de Mâcon, sur l'un de ses domaines, situé sur la rive gauche de la Grosne, affluent de la Saône. Le site, dans une vallée communiquant aisément avec l'Orléanais, le Bourbonnais et l'Auvergne ainsi qu'avec le Rhône ou la Saône, était favorable au développement de la nouvelle fondation. Il ne s'est pourtant réalisé que lentement, malgré le prestige de son second abbé, Odon (927-944), créateur et âme de la liturgie clunisienne, et à qui l'on doit une technique de la musique, de même qu'un idéal de vie longtemps respecté à l'abbaye.

Avec l'abbé Aymard, qui en 942 prit sa succession, commence Cluny II. Pour plus d'efficacité, il s'est astreint à y résider et accrut le temporel en fondant des prieurés. Il a ainsi préparé son expansion future dans un climat de paix et de fraternité, qui s'imposera par la suite à la chrétienté. Il céda en 954 la place à Mayeul, son successeur provençal, qui termina l'église précédemment commencée et la fit consacrer en 981. Cette construction savante, Cluny II, se composait d'une nef de sept travées précédée d'un atrium ; elle était dotée de collatéraux, d'un transept en saillie et d'un chœur complexe fait de multiples absides savamment échelonnées autour de l'abside principale. Les cendres des apôtres Pierre et Paul, ramenées de Rome, y furent placées.

L'abbé Odilon (993-1048), haute figure de cette lignée monastique, poursuivit avec acharnement sa quête d'élévation spirituelle pour ses ouailles sans négliger une réforme monastique et une tendance à l'apaisement général. C'est lui qui institua la trêve de Dieu aussi bien que la fête des morts et fit de l'abbaye un haut lieu spirituel, phare de l'Europe. Il joua aussi un rôle international de premier ordre par ses relations et entraîna le ralliement de nombreux autres établissements monastiques, de toute part, à Cluny. Il fit couvrir d'une voûte l'église, agrandit et réédifia les bâtiments conventuels, le cloître particulièrement, avec une activité qui témoigne du réveil architectural de l'Europe.

Son prestige était immense, à sa mort en 1048, alors que le grand abbé Hugues prenait la relève. Durant les soixante années qu'a duré son sacerdoce, Hugues a poursuivi l'œuvre d'Odilon et porté la congrégation à son point culminant, en parfait représentant qu'il était du monachisme en Europe.

L'abbaye connut alors une période d'expansion accrue entraînant la fondation de plusieurs prieurés en Espagne. On peut répéter ici le bienfait que fut pour l'Europe ce grand bâtisseur, à cause de l'importance sans égale prise par l'architecture monastique dans le renouveau de l'art de bâtir. Il s'est ainsi lancé, en vingt ans, de 1088 à 1109 environ, dans la construction d'une "major ecclesia", à savoir Cluny III, avec l'aide de deux architectes géniaux, Gauzon et Hezelon, qui firent preuve d'une audace étonnante et d'une technique parfaitement maîtrisée et affirmée.

Les rois Alphonse VI d'Espagne et Henri Ier d'Angleterre, furent parmi les grands donateurs de cet édifice, qui atteignait déjà cent trente-huit mètres, et dont la longueur totale fut portée à cent quatre-vingt-sept mètres par l'adjonction tardive d'un narthex, achevé au XVIe siècle.

La nef de onze travées est un grand vaisseau majestueux et élancé, mais plus sombre que l'abside très lumineuse. Elle était pourvue de doubles bas-côtés. Un double transept précédait le chevet, remarquable par son ampleur et son développement extraordinaire : il comprenait, en effet, une abside principale et un déambulatoire sur lequel s'ouvraient cinq chapelles rayonnantes, ainsi que deux absidioles sur chaque croisillon. Le tout s'agençant d'une manière très habile, en un ensemble élaboré, aux formes étagées, hérissé de toits, qui symbolisait une "aspiration directe vers la prière".

Deux travées, identiques à celles de la nef, séparaient le transept du chœur, donnant à ce dernier un recul encore plus majestueux. Le déambulatoire était couvert d'une voûte en berceau annulaire de neuf travées soutenues par des doubleaux. L'abside couverte d'une voûte en cul-de-four comportait un rond-point de huit colonnes, dont six en marbre, portées par une base calcaire de type attique. Une décoration soignée se développait sur tout le sanctuaire, la plupart des chapiteaux étant soit lisses, soit corinthiens, soit décorés de feuilles plates à crochets.

Cependant les sept ou huit grands chapiteaux des colonnes du rond-point étaient historiés, avec pour sujets les Vertus, des scènes du Paradis (la chute d'Adam, le sacrifice d'Abraham) ainsi que les huit tons de la musique dont les figures détaillées rappelaient le travail des bronziers de la région mosane.

Une immense fresque du Christ en gloire, accompagné du Tétramorphe des évangélistes se déployait sur l'abside en cul-de-four.

Vers 1095, on construisit le grand transept avec deux travées de chœur vers l'est et une ou deux travées de nef vers l'ouest. Deux petites chapelles dédiées aux archanges Raphaël et Gabriel se situaient aux extrémités nord et sud dans deux tourelles d'escalier, montrant là une rare survivance de l'art carolingien.

Puis en 1098, fut bâti le long et magnifique vaisseau, de plus de soixante-quinze mètres. Les travées sont progressivement plus grandes de l'ouest vers l'est, couvertes d'une voûte en berceau à peine brisé. Les arcs-doubleaux brisés sont doublés vers la nef et le second arc est orné de billettes d'un côté, et d'oves de l'autre. Ils sont portés par des piliers cruciformes, dotés d'une colonne engagée sur chaque face. Les piliers du chœur et du vaisseau central de la nef ont chacun un mince pilastre à la place d'une colonne, du côté intérieur du vaisseau. Le tailloir de ce pilastre portait un dosseret s'élevant jusqu'au niveau du cordon situé sous le triforium. Dans le ressaut était logée une colonnette et sur la face du dosseret, un pilastre cannelé. Une moulure élégante contournait les colonnes hautes et courait sous le triforium tandis qu'une corniche décorée de feuillages et soutenue par des modillons courait, elle, au-dessus de chaque arc.

A l'étage supérieur, chaque arcade était pourvue de trois ouvertures. Leurs archivoltes moulurées ornées de billettes étaient soutenues par d'élégantes colonnes jumelées à chapiteaux doubles. Les fenêtres hautes étaient pourvues de vitraux en grisaille.

La grande façade, d'une architecture ingénieuse, était sans doute achevée à la mort de l'abbé Hugues. Elle présente la particularité de posséder une chapelle (dédiée à saint Michel), tout comme à l'époque carolingienne on pouvait en trouver une au-dessus du vestibule. Ici, elle se trouve logée dans l'épaisseur du mur, l'abside se projetant à l'intérieur de la nef. Le portail central est beaucoup plus grand que les portails latéraux. L'iconographie de la Résurrection se trouve ici représentée avec une force et une énergie tout à l'image de cette vision intense. Lors de l'explosion de 1810, certaines pierres ont pu échapper au désastre.

On peut voir à Charlieu ou Vézelay un ensemble lui ressemblant, mais les sources d'inspiration à Cluny sont fort lointaines et vont du mont Cassin pour certains motifs, à l'Espagne pour le décor ou la forme outrepassée de quelques arcs. Le Christ en gloire, entouré de la mandorle et de deux anges, se dresse sur le nimbe crucifère, encadré des symboles des quatre évangélistes. Une série de vingt-cinq têtes non couronnées d'apôtres ou de prophètes se voyait au-dessus dans l'archivolte. Les figures de saint Pierre et saint Paul étaient aux écoinçons. Une moulure à l'extérieur courait, décorée d'animaux fantastiques et de rosaces de type mauresque. Neuf arcatures garnissaient l'étage ouvragé, avec une suite de huit abbés peints sur la paroi. La période romane s'achève à Cluny avec la muraille et le double portail mais les abbés ont ensuite continué la construction en style gothique avec des édifices tels que la tour des Barabans et des tombeaux.

La hauteur de la voûte et celle des coupoles sous clochers furent portées respectivement à trente et trente-trois mètres, faisant preuve d'une témérité peu commune en cette fin du XIe siècle. A titre indicatif, Saint-Sernin-de-Toulouse, à la même époque, n'a que vingt-deux mètres et Notre-Dame-de-Paris atteindra un siècle plus tard, un peu plus de trente-deux mètres.

L'adoption systématique de l'arc brisé pour une plus grande stabilité dans tout l'édifice par les architectes, de même que la décoration d'arcatures plaquées inspirée de l'antiquité, est propre à l'ensemble. Les huit chapiteaux conservés du rond-point du chœur témoignent de la magnificence poussée du décor sculpté. Les recherches très profondes du professeur K.J.Conant ont mis en lumière la science avec laquelle l'édifice a été construit et en particulier l'utilisation d'une symbolique des nombres qui lui a conféré une harmonie parfaite.

Page suivante :

Maquette générale

La Bourgogne qui fut terre d'élection pour les deux grands ordres monastiques, Cluny et Cîteaux, a ainsi occupé une place non négligeable dans l'histoire religieuse du Moyen Age du XIe au XIIIe siècle.

Cluny, de par sa primauté spirituelle aux XIe et XIIe siècles, eut un rayonnement européen et ses abbés ont eu une influence considérable sur les rois ou pontifes. L'ordre clunisien s'employa, en particulier, à apporter un peu de paix en ces temps troublés par l'institution de la "trêve de Dieu". De même l'abbé organisera le pèlerinage à Saint-Jacques-de-Compostelle, dont l'itinéraire était jalonné d'étapes dans les gîtes clunisiens.

Trois églises se sont succédé de 950 à 1088 : Cluny I, Cluny II et la dernière, Cluny III, commencée en 1088 par le saint abbé Hugues et dont la dédicace eut lieu en l'an 1130, par le pape Innocent II.

A la mort de saint Hugues, s'amorce le déclin de Cluny allant de pair avec l'architecture romane en Bourgogne qui, dès les années 1130-50, connaît un épuisement presque total. L'abbaye de Cîteaux aux formes très épurées et austères va prendre le relais tandis que Cluny se survit à soi-même six siècles durant.

A. Lenoir, dans sa lettre du 7 août 1800 au ministre de l'Intérieur Chaptal, faisait le dernier éloge de l'insigne édifice déjà voué à la destruction. Vertigineux nous semble le seul vestige, une partie du croisillon méridional du transept, qui ait subsisté. Son élévation à trois niveaux était celle de la nef : rez-de-chaussée sur lequel s'ouvrent une abside et une chapelle du XIVe siècle, un faux triforium dont l'arcature présente un décor d'inspiration musulmane et des fenêtres ornées d'archivoltes sur colonnettes. Une coupole octogonale sur trompes coiffe la travée au-dessus de laquelle s'élève le seul survivant des quatre clochers majeurs et des deux tours de façade, le clocher de l'Eau bénite. Les deux étages de section octogonale sont généreusement ajourés ; à l'intérieur d'une tourelle d'escalier se trouve la petite chapelle dédiée à saint Gabriel.

Parfait témoignnage d'une science consommée, teintée d'audace dans l'art de construire, cet insigne édifice a inspiré la construction de sept autres églises, priorales clunisiennes, mais son rayonnement s'est étendu bien au-delà des frontières régionales.

Ci-contre :

Le farinier, salle haute

Le vandalisme a réduit cette merveille architecturale à quelques restes entre 1798 et 1823, mais ces derniers peuvent encore faire rêver de la grandeur passée. Telle cette rare et étonnante charpente en châtaignier qui couvrait l'ancien farinier du XIIe siècle.

Une contemplation de l'élément de base répété à l'infini peut conduire, tout comme sous l'emprise d'un rythme ou d'un thème musical, l'esprit du visiteur à la fascination admirative.

Pages suivantes :

Le farinier, salle basse.

De cette grandeur passée subsiste aussi le farinier, voûté sur croisées d'ogives, et dans lequel sont présentés dix chapiteaux historiés provenant du sanctuaire de l'abbatiale. Ces vénérables fragments sculptés d'une remarquable finesse d'exécution, témoignent de la magnificence d'antan.

Le farinier est ce qui reste des bâtiments conventuels médiévaux ; les autres datent du XVIIe, car la grande période de Cluny s'achève au XIIe. L'abbaye de Cîteaux prendra ensuite la relève.

Paray-le-Monial

C'est peut-être à la lumière jouant sur les pierres aux tons ocre que le site de Paray-le-Monial doit son appellation de Val d'Or ou "Vallis Aurea", car c'est bien la lumière qui frappe avant tout dans ce lieu saint. Elle y prend une importance considérable en jouant sur la pierre aux tons chauds de l'édifice.

Les esthètes peuvent même y voir une concordance possible avec la luminosité essentielle de la présence divine. Il semble d'ailleurs que l'architecte ne se soit pas privé d'exploiter cette intention symbolique, grâce en particulier à l'emploi des nombres parfaits dans les divers éléments de la construction.

Le comte Lambert de Chalon a donné en 973 un domaine à Mayeul, abbé de Cluny, sur une des collines dominant la ville actuelle, pour y fonder un monastère bénédictin. Peu après que son fils Hugues, évêque d'Auxerre, eut accepté l'affiliation du nouveau prieuré à Cluny en 999, les Clunisiens abandonnèrent les hauteurs et déplacèrent leur établissement sur les rives de la Bourbince. Ces premiers temps d'existence sont mal connus. Sans doute ne subsiste-t-il rien de la fondation originelle. Un seul monument, la chapelle romane de Notre-Dame, en garderait le témoignage. Réduite à la croisée du transept coiffée d'une coupole et à une abside semi-circulaire, elle daterait de la première moitié du XIe siècle.

Le prieuré connut ensuite une période de prospérité qui permit la reconstruction de l'église à laquelle procéda, en 1100, l'abbé Hugues de Cluny. L'église atteste d'ailleurs, par son plan, son élévation et ses caractères constructifs sa filiation à Cluny en reproduisant fidèlement ceux de la grande abbaye élevée par saint Hugues. Mais faute de moyens financiers, le chantier s'essouffle assez rapidement.

Au XIIe siècle, la région et le monastère ont eu à souffrir des incursions souvent belliqueuses de Guillaume, comte de Chalon, que le roi Louis VII dut même rendre à la raison. Des bandes que l'on croit plus ou moins soudoyées par le duc de Bourgogne Hugues IV assaillirent, au milieu du XIIIe siècle, la petite ville développée autour du prieuré. Nombreuses encore furent les vicissitudes subies par le prieuré lors de la guerre de Cent Ans, avec le passage sanglant de bandes d'"écorcheurs" sans oublier les ravages que fit aussi la peste noire entre 1346 et 1348.

Après un redressement temporaire, dû notamment aux abbés de Cluny, Jean de Bourbon et Jacques d'Amboise, marqué par la reconstruction des bâtiments conventuels, les calvinistes firent main basse sur la ville en 1562 et pillèrent le trésor de l'église, dont la châsse renfermant les reliques de saint Grat, évêque de Chalon. Des ordres nouveaux issus de la Contre-Réforme s'installèrent à Paray-le-Monial après les troubles des guerres de Religion : Jésuites en 1618 et Visitandines en 1626.

Un événement particulier fera que l'un et l'autre seront intimement liés à la glorification et au culte du Christ; en effet, une des religieuses du couvent, Marguerite-Marie Alacoque, eut plusieurs apparitions du Christ entre 1673 et 1689 sous forme de son cœur sacré. Les bâtiments du monastère dans lesquels ont eu lieu ces apparitions spectaculaires subsistent encore. La chapelle des Apparitions a subi au XIXᵉ siècle une restauration radicale dirigée par l'architecte Berthier. A droite dans une chapelle latérale se trouve la châsse de sainte Marguerite-Marie.

Devenus propriété municipale à la Révolution, le prieuré et son sanctuaire furent confiés en 1856 à l'architecte Millet, au titre de Monument historique. Il réussit à recomposer en le reprenant en sous-œuvre, le narthex du XIᵉ siècle qui présentait des signes d'affaissement. Plusieurs fondations accompagnèrent l'essor majeur du culte au Sacré-Cœur créé par le Pape Pie IX qui lui dédia la basilique après la guerre de 1870 : Chapelains du Sacré-Cœur, Clarisses ou Carmélites. C'est ainsi qu'en 1873 plus de trente mille pèlerins déferlèrent en vagues ferventes pour un pèlerinage mondial à Paray-le-Monial.

L'église primitive, entreprise par les soins de saint Odilon et dont la consécration eut lieu en 1004, fut remplacée, grâce à saint Hugues, le successeur d'Odilon, par un autre édifice. On raconte volontiers, à son propos, le souvenir d'un miracle qui y est attaché. En effet, un jeune moine en prière dans le chœur fut gravement blessé à la tête par une pièce d'échafaudage tombée de la croisée lors des travaux. Il suffit pour le soulager de ses maux, que le saint abbé Hugues l'asperge d'un peu d'eau bénite. On tient compte de cet événement relaté dans les chroniques de l'époque en tant que repère pour la chronologie du monument. En effet tous les caractères archéologiques s'accordent pour confirmer qu'il est une réplique en réduction de la grande église de Cluny, édifiée en même temps. Les travaux se trouvèrent suspendus en 1109 par la mort de l'abbé et l'ancien narthex fut raccordé au mieux à la nef nouvelle.

La nef de trois travées est précédée d'un narthex comptant deux travées et suivie d'un transept saillant; elle s'achève par un vaste chevet fait d'une travée étroite qui se termine par une abside semi-circulaire et un déambulatoire à trois chapelles rayonnantes.

Le narthex est à deux étages, relié par un escalier d'épaisseur dans le mur de façade. Deux hautes tours carrées cantonnent et enserrent la bâtisse, celle du sud a un aspect relativement nu par rapport à celle du nord, plus complexe. Une simple porte à tympan nu ouvre sur la nef, de laquelle fuse véritablement l'élévation jusqu'au chevet. Bien qu'elle soit réduite, la nef atteste que les proportions choisies par saint Hugues pour son église se trouvaient être excessives pour les besoins liturgiques de la communauté qui ne dépassera jamais en nombre vingt-cinq moines. On a pu les trouver à la limite, ostentatoires voire démesurées, et reproche en fut fait à l'instigateur des travaux auquel aucune surenchère de grandeur ni de beauté ne semblait trop triomphale pour louer Dieu. L'inachèvement fait que la brève longueur de la nef exalte d'une part l'élévation magistrale, atteignant une hauteur sous voûte de vingt-deux mètres, comparable à celle de Conques, développé sur trois niveaux, dans la nef, le transept et la travée droite du chœur ainsi que d'autre part le développement du chevet qui attire à lui seul toute l'attention.

L'élévation à trois niveaux est d'un parti rigoureux à la limite de la sévérité, utilisant au mieux l'admirable technique romane de construction. Un galon à motifs d'oves orne les rouleaux extérieurs en cintre brisé des grandes arcades. Entre celles-ci et la triple rangée de baies en plein cintre du niveau supérieur, sont plaquées des arcatures plates séparées par des pilastres cannelés. Ces arcatures sont encadrées par un cordon mouluré en bas et une corniche en haut.

La nef est couverte d'une voûte en berceau brisé soutenue par des arcs-doubleaux, de même que les croisillons du transept et la travée du chœur. Des voûtes d'arêtes couvrent les collatéraux et le déambulatoire. On trouve une coupole sur trompes, octogonale, à la croisée du transept. Les piles sont cruciformes, avec, sur trois côtés, une demi-colonne ainsi qu'un pilastre cannelé du côté de la nef. Dans ce système ingénieux d'élévation, les supports sont réellement utilisés pour éliminer la pesanteur, et non comme de simples membres inertes. L'armature de l'édifice présente une cohérence parfaite, de telle sorte qu'il n'y a aucune rupture dans la continuité de la perspective qui conduit les regards du fond de la nef vers la superbe conque absidale.

On ne peut manquer, alors, d'être sensible à l'impression de lumière mystique tant vantée de la basilique, qui découle d'un agencement des sources d'éclairage si habile qu'on arrive à l'oublier devant le résultat. Les fenêtres sont disposées en rythme ternaire, en guirlande autour de la nef, de la croisée du transept et de la travée du chœur. Le procédé d'encorbellement est utilisé ici avec un art et une science consommés afin d'alléger au maximum les huit colonnes supportant l'hémicycle du chevet, tout comme à Cluny. La voûte du déambulatoire surhaussée a permis la superposition de deux rangs de baies en plein cintre. L'élévation graduelle, en volumes pleins du chevet extérieur, ne manque pas de répondre intérieurement à cette pyramide à degrés de lumière.

Le décor sculpté ne présente ici qu'un intérêt accessoire. Il est utilisé pour souligner avec discrétion et finesse, mais grand à-propos, l'ossature architecturée, ce grâce aux oves employés sur les grandes arcades, aux damiers dans le déambulatoire ou aux corbeilles de feuillage. Quelques chapiteaux se rencontrent, soit zoomorphes soit anthropomorphes. Un des seuls et rares chapiteaux à thème humain est resté inachevé avec quatre corps à peine dégrossis dans leur gangue de pierre. Il faut remarquer, cependant, les deux portails du transept pour l'originalité de leur décor qui imite l'art arabe : une frise court le long des piédroits, incurvée en accroche-cœur. Les voussures sont sculptées de damiers et de billettes au portail sud ou du motif typique de "sachets repliés" au portail nord. De plus, la surface des colonnes est entièrement ciselée. Au portail sud, la seconde voussure qui n'a pas de chapiteaux enveloppe la première, et sur le linteau, au-dessus d'une frise se développe une suite de huit rosaces sculptées d'une fleur épanouie ou d'animaux fabuleux ; on voit aussi deux visages humains renversés et tirant la langue. Un cadre rectangulaire délimitait le tout. Les piédroits du portail nord sont cannelés. Une frise de rosaces court à l'intérieur et souligne ce périmètre. Le tympan, nu, est seulement appareillé.

Cette absence de figuration humaine, la gravure en méplat très refouillé aussi bien que le cadre en équerre peuvent faire songer à une entrée de palais oriental. Les séjours qu'Hugues fit en Espagne par deux fois en 1072 et 1090 ont pu le mettre en contact avec la magie resplendissante de l'Islam et expliquer la présence de tels motifs décoratifs à Paray-le-Monial.

Page suivante :

Vue extérieure de la basilique, côté chevet

On peut admirer des quais de la Bourbince l'incomparable silhouette de l'ancienne abbatiale Notre-Dame de Paray-le-Monial. C'est le grand abbé saint Hugues de Cluny qui entreprit au XIIᵉ siècle son édification. Décrétée basilique mineure en 1875, elle a été consacrée au Sacré-Cœur et fait, aujourd'hui encore, l'objet d'un important pèlerinage. Ce regain de vie inattendu est venu d'une humble postulante, Marguerite-Marie Alacoque, qui eut à plusieurs reprises entre 1673 et 1689 des visions du Christ lui révélant son cœur sacré et lui demandant d'en répandre le culte et la dévotion, à l'encontre de la toute-puissance du jansénisme. Après la défaite de 1870, ce culte a pris une dimension soudaine, aboutissant ainsi à la construction de la basilique Notre-Dame du Sacré-Cœur à Montmartre.

Page en regard :

L'église

Cette église, dont la nef limitée à l'ouest par une façade à deux tours du XIe, préexistante, n'a que trois travées.

Par contre elle se développe avec une magnifique ampleur dans le transept et l'abside à chapelles rayonnantes.

Cette église, par son plan, ses volumes, l'élévation à trois niveaux avec triforium et son décor de pilastres cannelés, est celle qui évoque le mieux mais à une échelle réduite ce qu'avait pu être l'illustre édifice de Cluny III, dont elle est la filiation directe.

Dès l'entrée, le regard est capté, par suite de la faible longueur de la nef, vers la splendeur et le jaillissement du chevet. C'est un quadruple jeu d'ajours qui illumine ce chœur et y fait danser la lumière du matin.

Angoulême

Angoulême comptait à l'époque gallo-romaine de nombreux édifices dont témoignent les vestiges épars. Un temple en l'honneur de Jupiter aurait même précédé la cathédrale. Saint Ausone fut au IIIe siècle le premier évêque de la région alors qu'Angoulême était dite "Civitas ecolismensium" ou "la ville sur le rocher". Mais de l'antique et primitive cathédrale, rien n'a subsisté. Balzac, dans *Les Illusions perdues*, déclare : "Angoulême est une vieille ville, bâtie au sommet d'une robe en pain de sucre qui domine les prairies, où se roule la Charente."

L'Angoumois ne put échapper aux saccages des Normands lorsqu'ils déferlèrent sur la région, et la cathédrale du VIe siècle, reconstruite par Clovis, s'est trouvée anéantie dans un immense incendie qui a ravagé toute la ville au Xe siècle. Au XIe siècle, une grande église abbatiale fut édifiée sur les lieux où vécut saint Cybard, ermite de la région de Périgueux, qui mena là une vie solitaire, jusqu'à sa mort en 981. En 1055 fut consacrée par Seguin, l'archevêque de Bordeaux, une troisième église, mais c'est à l'évêque Girard II qu'il appartint d'élever enfin une cathédrale digne de ce nom, dans la métropole. Ce prélat, théologien brillant, professeur de philosophie et légat du pape, réussit, grâce à sa forte personnalité, à communiquer son enthousiasme à la population. La pierre abondante dans la région facilita la tâche, et les travaux financés par le chanoine Itier Archambaud se trouvèrent activement menés à partir de 1100 pour s'achever par la consécration en 1128 de l'actuelle cathédrale Saint-Pierre. On remarquera d'ailleurs dans l'écoinçon des deux grandes arcades sud de la façade, les deux lettres, G et I, qui symbolisent les prénoms de ces deux maîtres d'œuvre. On ne peut que reconnaître et louer la continuité évidente qui a mené les travaux, comme le prouve la cohésion de l'architecture et sa parfaite unité. Le mérite en revient essentiellement à Girard qui, en 1128, put procéder à la consécration de sa cathédrale, alors en bonne voie d'achèvement.

On ne peut parler d'Angoulême sans évoquer le nom de celui auquel est attachée une œuvre mémorable, l'architecte P. Abadie qui dessina en effet les plans de Saint-Pierre-de-Montmartre, à Paris. Il restaura, en 1875, en lui conférant un aspect très byzantin, la coupole centrale d'Angoulême qui jure depuis avec l'ensemble resté roman.

Durant les travaux, la construction se déroula d'ouest en est afin de permettre toujours l'exercice du culte. On ne peut manquer d'être frappé, lorsque l'on connaît les deux édifices, par les affinités visibles avec la cathédrale de Saint-Etienne-de-Périgueux. Cela s'explique aisément par le fait que Girard, avant d'être nommé évêque d'Angoulême, avait résidé à Périgueux, où il avait vu se construire l'église. Il avait pris des idées telles que le système de couverture à file de coupoles sur la nef. La ressemblance est poussée au point que l'on peut retrouver les mêmes gros piliers d'angle qui reçoivent la retombée des grands arcs, ou les mêmes irrégularités dans la construction des pendentifs. Cette ressemblance est surtout visible entre la première chapelle d'Angoulême et la plus ancienne de Saint-Etienne.

La sobriété pleine de caractère de cette première travée s'est malheureusement trouvée dénaturée par l'adjonction que fit Abadie de colonnettes à chapiteaux ouvragés aux piliers, ainsi que de colonnettes aux fenêtres, sous prétexte d'unifier l'architecture. Les deux travées suivantes sont élevées sur le même principe, mais la bonne marche des travaux s'est trouvée favorisée par un progrès dans l'appareillage des coupoles. Ces nouveaux principes appliqués n'ont pu l'être que grâce à la connaissance de l'abbatiale de Souillac ; en effet, Girard, qui y était alors de passage avait eu l'occasion d'apprécier les améliorations apportées dans la technique de construction, afin d'en faire bénéficier sa cathédrale.

Les piliers rectangulaires réduits de près de moitié par rapport à ceux de l'entrée, et les arcs d'encadrement plus brisés, allègent beaucoup l'architecture. De plus une solution satisfaisante a enfin été trouvée au problème épineux du passage du carré à la circonférence dans les coupoles : les pendentifs s'élèvent insensiblement de telle sorte que la maçonnerie bombée se rapproche des grands arcs. Elle se redresse ensuite en un élégant mouvement de contre-courbes. Tout l'ensemble a ainsi acquis beaucoup de légèreté.

Comme dans la plupart des églises couvertes de coupoles, des arcatures sont adossées aux murs gouttereaux et soutiennent par groupe de trois une galerie de circulation qui traverse les piles, et ceinture tout l'édifice.

L'église est éclairée faiblement par des fenêtres peu ébrasées situées aux angles de chaque travée. C'est sans doute la raison pour laquelle les chanoines remplacèrent toutes les ouvertures du côté sud par de larges baies gothiques. Abadie les a finalement rétablies dans leur état primitif.

Le décor, rare dans une église à file de coupoles, est ici à souligner : des colonnes géminées sont engagées dans les piliers en un rôle purement ornemental, justifié par la seule retombée de rouleaux s'ajoutant aux grands arcs. La sculpture est aussi présente. Seuls les chapiteaux de l'étage sont anciens, les autres ont été refaits. Toute une flore d'acanthes ou de palmettes est reproduite sur les corbeilles. Une frise décorative court aussi le long des piliers. Sans doute la nef était-elle achevée en 1118 car l'abbaye de Fontevraud a été consacrée un an plus tard, ce qui explique indubitablement son plan en concordance parfaite, ainsi que l'élévation analogue des coupoles.

Au sortir de la nef, le transept arrive à surprendre par son ampleur considérable. De hauts piliers dotés de colonnes géminées sur chacune de leurs faces soutiennent la vaste coupole centrale. Refaite par Abadie, elle a peu de chose à voir avec la coupole originale qui ne comprenait que peu d'ouvertures. Là, Abadie a multiplié les ouvertures sur un tambour élargi et surhaussé, lui conférant ainsi un caractère byzantin très éloigné de l'esprit roman, et donc faussé. De plus, l'éclairage indirect assuré jadis par les deux clochers-lanternes disposés aux extrémités des croisillons a disparu. Couverts d'un berceau brisé, dotés d'absidioles orientées (modernes) les croisillons ne servaient en fait que de passages aux clochers. Seul subsiste le clocher-lanterne nord, restauré par Abadie, l'autre a été détruit lors des guerres de Religion.

La partie septentrionale du transept est bien la plus intéressante. La base du clocher repose sur de gros piliers contrebutés par de grandes arcades sous lesquelles s'ouvrent de larges baies. Une galerie soutenue par des arcatures entoure tout l'étage selon le principe adopté dans la nef. Au-dessus de ces arcades s'élève une gracieuse lanterne. La lumière abondante permet de mieux apprécier cette savante construction ainsi que les sculptures imprégnées d'orientalisme qui ornent les chapiteaux.

Les lignes architecturales de l'abside se rattachent intimement à celles du transept. En effet, la grande arcade du côté est de la coupole centrale sert d'arc triomphal tout autant que de doubleau, à la voûte en berceau brisé. Elle épaule ainsi la voûte en cul-de-four qui repose sur un cordon prolongeant en quelque sorte ceux des croisillons. On ne peut d'ailleurs qu'admirer l'habileté du maître d'œuvre qui d'une part associe l'architecture de la nef à celle du chœur et d'autre part rappelle l'ordonnance des croisillons.

Les baies alternent avec les absidioles dans l'hémicycle ; exceptée une au nord-est, toutes ont été reconstruites par Abadie ce qui n'empêche pas que le plan rayonnant du sanctuaire rappelle celui de certaines églises du XIe siècle et confère un grand caractère à l'édifice. Un riche décor ne fait qu'ajouter à la beauté du sanctuaire : des animaux s'affrontent en frise selon une idée orientale. Quelques figures humaines sont également visibles sur les chapiteaux. On peut signaler aussi les six chapiteaux préromans de la baie centrale qui proviennent de la cathédrale précédente.

Les élévations latérales ont été refaites, ou tout au moins remises à neuf par Abadie, sauf celles des seconde et troisième travées, où une corniche soutenue par des modillons aux visages grimaçants, faits de têtes de monstres ou d'animaux, court à l'entablement des murs gouttereaux.

La coupole centrale recréée par Abadie dénature les données de la construction romane primitive par ses dimensions trop amples. Il a cependant remonté fidèlement le clocher qui menaçait de s'écrouler. Puis sur une base polygonale s'élève l'abside, agrémentée à l'étage d'une suite d'arcades enjolivées d'arcatures géminées qui se développent avec régularité sur tout le pourtour de l'hémicycle. Au-dessus de la fenêtre axiale, on peut voir une sculpture représentant une chasse, en frise.

Quant à la façade occidentale, il est impossible de l'évoquer sans en éliminer par la pensée toutes les superstructures, pignons et clochetons rajoutés par Abadie. A l'origine, seules de hautes arcades subdivisaient la façade. Cette austérité devait, à l'initiative de Girard, être rendue plus attrayante par l'introduction d'un programme iconographique sculpté. La sculpture fut aménagée et répartie sous les arcades au rez-de-chaussée, et le tympan finalement incorporé. C'est sur lui, par ses représentations du jugement dernier et de l'Ascension, que se porte l'attention. La conjonction de ces deux thèmes réalisée ici condense l'histoire de la destinée humaine, telle qu'elle est énoncée dans les livres saints. Au rez-de-chaussée, les scènes de la vie terrestre, avec ses luttes et ses souffrances, sont représentées, en église militante à laquelle sont associés les apôtres par trois, sous de faux tympans. Au-dessus se déploient en un glorieux cortège les apôtres nimbés, pieds nus et portant le Livre saint, dans les arcades disposées le long de fenêtres médianes. Tout au-dessus, enfin, le Sauveur entouré du Tétramorphe ou symbole des quatre évangélistes, occupe le premier plan. Il apparaît auréolé, surgissant des nuées, drapé d'un manteau et bénissant l'humanité de ses grandes mains ouvertes. De multiples anges porteurs d'instruments de musique et chantant des hymnes, l'accompagnent. Les élus suivent le Créateur, deux par deux sous les voussures des grandes arcades. On voit aussi les damnés, expiant leurs fautes en des châtiments criant de vérité.

Toute la sculpture est profondément marquée par le caractère architectural de l'ensemble, qu'elle respecte scrupuleusement. Malgré une réalisation très conformiste, ces sculptures produisent une forte impression, par l'affirmation de leur caractère plastique. De nombreuses frises savamment sculptées complètent au rez-de-chaussée le décor de la façade qui n'est finalement qu'un seul hymne à la gloire du Christ sauveur de l'humanité. Cette façade a exercé une influence certaine sur celle d'autres églises de la région et même au-delà encore puisqu'on peut déceler dans certaines des sculptures qui la couvrent un engagement sur la voie du gothique qui apparaîtra bientôt.

Ci-dessous :

Détail de la façade

La façade occidentale est d'une grande richesse, illustrant par ses multiples sculptures, les thèmes conjoints de l'Ascension et du jugement dernier. Dans les fausses portes qui encadrent ce portail d'entrée, on peut voir trois apôtres partant enseigner l'Evangile sur la terre. Deux frises sont visibles aux linteaux de ces deux façades aveugles, représentant, à gauche des chevaux ailés s'affrontant. A droite un combat de cavaliers semble évoquer certains passages de la Chanson de Roland ; c'est en effet, non loin de là, à Poitiers, que Charles Martel a vaincu en 732 les troupes d'Abd àl-Rahman. Cette première défaite de l'Islam fut suivie par la victoire, au XIIe siècle, du roi d'Aragon, Alphonse Ier, sur les Maures libérant ainsi définitivement la chrétienté du joug musulman.

Page en regard :

La cathédrale

L'actuelle cathédrale Saint-Pierre d'Angoulême, commencée vers 1110 et consacrée vers 1128, est en grande partie l'œuvre de l'évêque Girard II éminent professeur de théologie et de philosophie. L'autre nom à citer au sujet de cette cathédrale est celui de l'architecte Paul Abadie (1812-1884) qui a dessiné les plans du Sacré-Cœur de Montmartre, pour avoir restauré la coupole sans respecter l'aspect roman de l'édifice.
On lui a reproché également de nombreuses innovations, en particulier à la façade, telles l'adjonction de deux clochetons aux extrémités ainsi que celle des deux statues équestres de saint Georges et de saint Martin. Construite au XIIe siècle, mutilée au XVIe et remaniée au XIXe, Saint-Pierre d'Angoulême a su conserver malgré tout une belle unité et demeure un des somptueux monuments de cette province de l'ouest.

Clermont-Ferrand : Notre-Dame-du-Port

Cette église, la plus célèbre des églises d'Auvergne, est également l'une des plus belles. Elle témoigne de la prospérité économique du XIIe siècle et d'une assimilation parfaite de l'art à cette époque. Située au centre même de la ville, Notre-Dame-du-Port est un lieu de prière et de recueillement en pleine vie commerçante.

S'il ne subsiste aucun vestige de la première évangélisation de la région, par saint Austremoine, au IIIe siècle, on peut penser que l'évêque saint Avit fit construire, lui, au VIe siècle un édifice religieux. Ce monument épargné par l'incendie des soldats du roi Pépin en 761 n'a pu résister au passage ravageur des Normands en 864. Un autre évêque, saint Sigon au IXe siècle, restaure, ou plutôt reconstruit, l'église et s'y fait enterrer. L'église porte déjà le nom de Notre-Dame-du-Port, peut-être à cause d'un marché (pontus) se tenant sur les lieux. Deux textes d'interprétation difficile et peu conciliables font que l'on ne possède guère de certitudes sur la construction de l'église actuelle, sauf une lettre de l'évêque Ponce de Polignac exhortant, en 1185, ses fidèles à la générosité.

Que l'on soit visiteur profane ou connaisseur, on ne peut manquer d'être frappé, à Notre-Dame-du-Port, par l'unité remarquable de l'édifice due à une cohérence profonde entre tous les éléments composant sa structure. Aucune reprise n'est visible dans l'œuvre.

Un chapitre de quatorze chanoines desservait l'église au XIIe siècle et l'on peut signaler, en anecdote, que celui-ci avait durant tout le Moyen Age le curieux privilège d'assister aux grands offices solennels un faucon au poing, et avec une cotte de mailles sur leur habit de chanoine. Cette coutume jugée "indécente" sera supprimée au XVIe siècle.

Si elle est un centre vénéré et renommé du pèlerinage à la Vierge depuis des siècles, Notre-Dame-du-Port est également une étape marquante sur la route de Saint-Jacques-de-Compostelle. On peut ainsi penser, à juste titre, que certains traits de l'ornementation, tels que les mosaïques dans l'abside ou les arcades trilobées employées dans les tribunes, sont dus à l'influence de l'Espagne arabe, tout droit venue par ces routes de pèlerinage. Toujours très en vigueur, le pèlerinage annuel à Notre-Dame-du-Port fait que chaque année, au mois de mai, on sort de la crypte appelée aussi la Souterraine, la statue qui est ensuite portée en procession dans toute la ville.

Malgré quelques détails dénotant une influence orientale, l'église demeure dans sa structure parfaitement occidentale, et offre même les caractéristiques de l'art roman auvergnat, en une synthèse architecturale complexe, propre aux églises majeures de Limagne, telles que Orcival, Saint-Nectaire, Issoire ou encore Saint-Saturnin. On admirera ainsi ses qualités d'équilibre et d'harmonie obtenues avec une grande sobriété de moyens.

On regrette que la magnifique ordonnance en crescendo du chevet ne puisse être d'aucun point appréhendée dans son ensemble, tant cette église citadine est enserrée de près par les maisons voisines. On devine donc, plus qu'on ne le voit réellement, le rythme ascendant qui entraîne par degrés successifs les quatre chapelles rayonnantes, le déambulatoire et le chœur en hémicycle. Cette remarquable ordonnance et la construction en arkose, belle pierre blonde, font de tout l'édifice une des gloires de l'art auvergnat.

La splendeur de l'architecture ne se révèle pleinement qu'à l'intérieur de l'église dont certains chapiteaux ou autres éléments décoratifs, par leur originalité et leur attrait sans égal, captent l'attention. Du narthex, ou seuil, rempli de ténèbres avec ses voûtes basses et ses piliers trapus, on ne peut qu'admirer la nef et le sanctuaire qui jaillissent de l'ombre dans la pureté et la perfection de leurs formes.

Dans cet univers de pierres taillées ou sculptées, la lumière est reine à certaines heures privilégiées. Le narthex, incorporé dans les volumes intérieurs de l'édifice, ne s'en distingue que par des murs plus épais, et un étage formant tribune.

Une voûte en berceau, sans arcs-doubleaux, couvre la longueur de la nef. Les cinq travées qui la composent sont séparées par de hauts piliers dotés chacun de trois colonnes engagées. Les bas-côtés sont surmontés de tribunes dont les voûtes en arc de cercle contrebutent ainsi fort efficacement la voûte centrale, selon une formule déjà éprouvée et adoptée en Auvergne. Ces tribunes s'ouvrent par des baies sur la nef, certaines de ces baies sont trilobées en un dessin oriental qui rappelle l'art arabe. On remarquera le modèle très svelte des piliers, et la découpe très pure des grandes arcades qui fait ressortir du mur les baies des tribunes. La nef, sans éclairage direct, ne reçoit la lumière que par les fenêtres des bas-côtés. Le transept est

Page en regard :

La nef et le sanctuaire

A Notre-Dame-du-Port, la nef et le sanctuaire forment un univers de pierres taillées ou savamment sculptées dans lequel la lumière est reine à certaines heures du jour. Ils jaillissent de l'ombre dans la perfection de leurs formes. Le chœur reproduit le plan de la crypte et comprend une travée droite couverte d'une voûte en berceau en plein cintre, contre laquelle vient buter la voûte en cul-de-four de l'hémicycle. Les grands arcs surhaussés reposent sur huit colonnes. Cinq fenêtres basses, en plein cintre, ébrasées sont prises dans une arcature portée par des colonnettes. De grandes fenêtres éclairent le déambulatoire, entre les chapelles, encadrées de colonnettes dont les chapiteaux sont historiés et présentent les meilleures œuvres du sculpteur de Notre-Dame-du-Port. L'hémicycle des colonnes dans le sanctuaire et la couronne si précieuse des célèbres chapiteaux se trouvent ainsi baignés de lumière. On peut rappeler ici que cinq églises proches par l'homogénéité de leur style et d'une grande beauté, ont fait la gloire de l'art roman en Auvergne. Elles ont pour nom : Notre-Dame-du-Port, Orcival, Issoire, Saint-Nectaire, Saint-Saturnin et se ressemblent étrangement. On y retrouve l'utilisation de procédés techniques semblables. La seule variété importante est due à l'emploi des matériaux locaux : arkose en plaine et pierre volcanique en montagne. Elles ont toutes les cinq survécu aux guerres de Religion, à la Révolution et demeurent les témoins de la douzaine d'églises existant à l'origine, dont certaines ont disparu, telle la cathédrale romane de Clermont disparue au XIIIᵉ siècle.

débordant. De puissants arcs diaphragmes, surhaussés et ajourés de baies, supportent la coupole sur trompes de la croisée du transept.

Puis, on accède au chœur, surélevé autour d'une crypte : huit colonnes fines, dressées en hémicycle autour de l'autel et reliées par des arcades surhaussées, portent la voûte en cul-de-four de l'abside. Autour se trouve le déambulatoire voûté d'un berceau annulaire et doté de quatre chapelles rayonnantes. En dessous, s'étend sur le même plan la crypte dite : "La Souterraine" dans laquelle se trouve la statue de Notre-Dame-du-Port.

Les chapiteaux du chœur sont les plus remarquables de l'église pour le décor historié que portent quatre d'entre eux, signés Robertus, chose rare ; ils témoignent d'une iconographie foisonnante, et sont de plus dotés de nombreuses explications. De grands thèmes sont illustrés tels le Combat des Vices et des Vertus, l'Annonciation et la Visitation, ou encore le Péché originel et la Gloire de la Vierge accueillie par les anges de la Jérusalem céleste, en une leçon claire sur un choix de vie à observer pour voir s'ouvrir les portes du Paradis.

Cette partie de l'église, le chœur, si elle comporte les chapiteaux les plus intéressants à l'intérieur est également particulièrement ornée à l'extérieur d'incrustations géométriques : cordons de billettes tout autour des fenêtres, damiers sur les corniches supportées par des modillons à copeaux, arcatures et mosaïques de pierres de couleurs, divers éléments qui rappellent l'Andalousie, sans oublier de mentionner aussi les gâbles qui coiffent toutes les chapelles et le chœur.

Il faut mentionner, dans le chœur et la nef, quelques chapiteaux à feuillage alternant avec des chapiteaux historiés aux motifs d'oiseaux, centaures, aigles, victoires, ou anges évangélistes de qualité moindre. Dans le déambulatoire sud, on peut voir le supplice de l'usurier, la corde au cou, entre deux démons grimaçants.

Le portail sud présente une architecture singulière, courante en Limagne, de baies rectangulaires avec un linteau en bâtière monolithe, le tout sous un grand arc de décharge en plein cintre. Le tympan est fait de plaques de calcaire posées, sans aucune voussure, uniquement en plan vertical. Le linteau seul est sculpté en réserve : longue inscription en bordure, quelques scènes annonçant la venue du Christ, la Vierge assise en majesté et enfin la Théophanie céleste, avec Dieu le Père entre deux séraphins et les symboles des évangélistes dont seuls deux sont encore visibles. Ce portail sud, ouvert dans la quatrième travée de la nef, date de la fin du XIIᵉ siècle et son style témoigne, par son raffinement, de l'influence des ateliers du début de l'âge gothique. L'iconographie demeure remarquable par l'opposition ingénieuse qui est faite entre les deux avènements du Christ.

Vue extérieure du chevet

Le chevet de Notre-Dame-du-Port est du même type que celui de l'église d'Issoire qui s'en est largement inspiré ; mais l'étagement des plans est mieux perceptible à Notre-Dame-du-Port qui n'a que quatre chapelles rayonnantes et non cinq. Celles des croisillons sont des restitutions du XIXe siècle. Le chœur, lieu sacré par excellence, est le point d'aboutissement et la raison d'être de l'église, ce qui explique pourquoi tout converge vers lui. La beauté particulière et l'équilibre des chevets auvergnats ont été unanimement reconnus tant pour la recherche du décor, que pour l'ampleur et la complexité du plan utile ou encore le raffinement des proportions. C'est ainsi qu'une parfaite maîtrise dans le groupement des volumes divers (chapelles, déambulatoire, abside, clocher) conduit l'œil en une savante progression de la couronne des absidioles vers le clocher et son sommet pyramidal.

On ne peut qu'admirer cette abside où abondent les mosaïques, pierres de couleurs alternées et modillons à copeaux faisant référence à la mosquée de Cordoue et à l'Andalousie où l'on peut voir également des pierres alternativement sombres et claires ainsi que dans certains motifs en forme de rosace creusés sous la tablette des corniches, le souvenir d'une petite coupole côtelée présente dans le mihrab des mosquées.

Ci-dessus :

Le clocher

La magnifique et très rationnelle ordonnance des églises auvergnates ne se présente pas au mieux avec Notre-Dame-du-Port tant elle se trouve entourée de près par les maisons des Clermontois. Il est impossible d'en avoir une vue d'ensemble.

Il faut donc suivre des yeux et deviner autant que possible le rythme ascendant par degrés successifs, qui conduit des chapelles rayonnantes au clocher.

Ce clocher a été refait en 1843.

Conques : Sainte-Foy

Il est peut-être difficile aujourd'hui dans notre monde moderne d'imaginer ce qu'était le pèlerinage de Conques à l'époque où la foule s'y pressait nombreuse et en masse toujours croissante au bruit des miracles accomplis...

Cette ancienne vallée rocheuse a d'abord servi de refuge à quelques ermites dont le guerrier Dadon. Puis au IXe siècle est fondée une abbaye bénédictine sous la protection du roi Louis le Pieux. Elle fait l'objet de ses attentions et de ses dons généreux. On connaît bien, par des écrits, la rivalité qui l'oppose un moment à l'abbaye de Figeac, Saint-Sauveur, elle-même née de la venue d'un groupe de moines partis de Conques. Le désir ardent de trouver d'insignes reliques a poussé les moines du Rouergue sur les routes : en Espagne d'abord, où ils ont l'espoir de rentrer en possession du corps de saint Vincent de Saragosse. Mais cette première tentative s'étant révélée infructueuse, ils sont ensuite allés vers Agen, où à la suite d'un subterfuge, le moine Arriviscus est arrivé à dérober les restes de sainte Foy, jeune martyre persécutée à l'âge de douze ans par Dacien, au IIIe siècle. Après la translation de ses saintes reliques en 866, les pèlerins attirés par les miracles commencent à affluer. La jeune sainte est en effet surtout invoquée par les aveugles et les prisonniers qui viennent ensuite déposer leurs chaînes en ex-voto.

Les ressources de l'abbaye se trouvent considérablement enrichies par cette affluence, si bien que les moines peuvent envisager d'agrandir et même de reconstruire leur église d'une façon plus spectaculaire. Les meilleurs orfèvres sont sollicités pour confectionner des châsses reliquaires dignes de contenir les très précieuses reliques. Il faut rappeler à ce propos qu'au Xe et au XIe siècle, le culte des saints et donc des reliques a pris une telle ampleur dans toute la chrétienté, que des pèlerinages sont organisés pour les honorer. Des itinéraires bien définis ont été établis avec certaines étapes obligatoires. Le plus important est alors celui de Saint-Jacques-de-Compostelle, sur une des routes où se trouve l'abbaye de Conques. L'influence de

Conques sera telle qu'elle s'étendra au-delà des Pyrénées, puisque l'abbaye aura des domaines en Navarre, Catalogne ou Italie, à la suite de son rôle influent dans la "Reconquista" ou lutte pour la reconquête des royaumes chrétiens d'Espagne.

Afin de satisfaire aux besoins culturels croissants, l'abbé Etienne fait construire dans la seconde moitié du Xe siècle, une église abbatiale composée de trois parties associées et consacrées respectivement à saint Pierre, au saint Sauveur et à la Vierge. Cette église est connue par la description qu'en a faite l'écolâtre Bernard d'Angers dans ses écrits intitulés : "Les miracles". Il a remarqué et décrit en particulier le grand nombre de grilles forgées avec les chaînes données en ex-voto par les prisonniers qui avaient obtenu leur libération après avoir invoqué sainte Foy.

Un siècle à peine après son existence, l'abbé Oldoric entreprend l'édification de l'église actuelle, et c'est à l'abbé Begon que l'on doit le cloître. L'homogénéité du plan et de l'élévation atteste que l'édifice date dans son ensemble de la première moitié du XIe siècle.

Malmenée ensuite par les protestants au XVIe siècle, puis privée à la Révolution de son jubé ainsi que de bon nombre de ses annexes monastiques, l'abbaye de Conques ne pourra que se féliciter de l'attention bénéfique que lui porte Prosper Mérimée dès 1837, en particulier pour les restaurations dont la façade occidentale est l'objet.

L'église Sainte-Foy-de-Conques se compose d'une nef de six travées avec des bas-côtés, suivie d'un imposant transept muni lui-même de deux bas-côtés et enfin d'une abside avec un déambulatoire et trois chapelles rayonnantes.

La nef apparaît d'autant plus haute qu'elle est étroite. Les deux étages de l'élévation se composent de grandes arcades, surhaussées, et des baies géminées des tribunes. Le vaisseau central de la nef est couvert d'une voûte en berceau, épaulée par les voûtes en quart de cercle des tribunes qui transmettent ainsi les poussées aux murs extérieurs des bas-côtés.

Les bas-côtés voûtés d'arêtes sont percés de grandes baies et contribuent ainsi indirectement mais largement à l'éclairage de la nef. Une alternance régulière dans la forme des piliers, les uns flanqués de pilastres, les autres de colonnes engagées, "scande" la nef. Les pilastres s'interrompent au niveau des tribunes pour porter à leur tour les demi-colonnes.

On retrouve cette disposition dans le transept qui, sans doute pour la nécessité du culte, a été construit à une grande échelle. Une tour-lanterne octogonale s'élève au-dessus de la croisée du transept. Elle est portée par des trompes. Une coupole, remplacée au XVIe siècle par une voûte à nervures, couvrait cette croisée.

Le collatéral se poursuit autour de l'abside par un déambulatoire à trois chapelles rayonnantes. Deux rangées d'arcatures décorent le mur haut de l'abside. Les fenêtres forment une couronne de lumière juste au-dessus de l'autel, tandis qu'un éclairage indirect parvient

Page 102 :

Le tympan

Le tympan de Conques est une œuvre considérable, qui occupe une place à part dans la sculpture romane, bien qu'il demeure dans l'ensemble conforme à l'iconographie traditionnelle du jugement dernier. Il offre, en plus, un exemple unique de polychromie romane ; les couleurs protégées par la poussière ont, en effet, réapparu sans dommage, après le nettoyage.

Plus de cent personnages animent ce tympan, traduisant le génie d'un ou de plusieurs artistes médiévaux, tout en exprimant les grands messages de la vie spirituelle. La figure glorieuse du Christ entouré des instruments de la Passion domine cette grandiose vision de la Résurrection. Les deux mondes des élus et des damnés sont représentés ici avec une grande technique, beaucoup de réalisme et de pittoresque.

Les supplices de l'enfer, qui attendent les damnés, ne sont pas figurés de façon imaginaire, mais à partir de récits légendaires accessibles aux pèlerins qui les déchiffraient aisément.

Avec une grande science de l'équilibre, le Paradis est évoqué, lui, en un raccourci saisissant au linteau, sous la forme d'une église figurée des arcades au centre desquelles, Abraham reçoit en son sein les âmes des élus, tandis que d'autres élus déjà ressuscités, trônent à ses côtés.

Ainsi les pèlerins se trouvaient-ils devant ces images incités à méditer tout comme ils auraient pu le faire sur un texte : "Vous qui avez le cœur gonflé d'orgueil, instruisez-vous par cet exemple, convertissez-vous de votre perversité et apprenez à vivre avec droiture, de crainte que l'heure du jugement ne sonne pour votre malheur ou qu'une mort soudaine vous précipite dans la réprobation".

Page 103 :

Le déambulatoire

Dans un site sauvage, Conques dresse ses maisons autour de l'abbaye dédiée à la jeune martyre, sainte Foy, qui connut comme saint Laurent le supplice du gril.
Les débuts de l'abbaye sont obscurs. Le départ d'un groupe de moines pour aller fonder un nouvel établissement à Figeac fut contrebalancé par l'apport des reliques de sainte Foy. Celles-ci ont attiré les pèlerins d'autant plus aisément que les miracles se multipliaient avec un grand retentissement au Xe siècle. On raconte qu'un homme, Guibert, dont les yeux avaient été arrachés, a recouvré la vue après des invocations à sainte Foy. Les prisonniers prient aussi la jeune sainte et lui apportent après leur libération leurs chaînes en ex-voto. Ces dernières ont servi pour forger les grilles du chœur.
L'emploi du calcaire blond confère à toute l'église une tonalité chaude avivée par l'abondante lumière venue des larges fenêtres percées dans les collatéraux ou les tribunes. Cette dernière est décorée de deux étages d'arcatures qui retombent sur des colonnettes jumelées encadrant les fenêtres. Certains chapiteaux ont été sculptés de scènes historiées mais le plus grand nombre d'entre eux sont d'un modèle particulier, dit à épannelage "cubique", selon une forme qui semble être apparue dans l'art musulman du Xe siècle. On trouve ce type de chapiteaux à la cathédrale du Puy, parmi les influences musulmanes nombreuses dans cette région. La ville d'Aurillac devait servir de relais dans la propagation des influences musulmanes en France.

également par le déambulatoire ainsi que par les chapelles rayonnantes. Le diamètre très réduit des piles de l'hémicycle et le surhaussement extrême des arcs contribuent ainsi à l'effet général d'élancement et de légèreté, très sensibles dans le sanctuaire. La structure de l'ensemble se trouve très allégée tout en conservant son parti logique et son élan tels qu'on les retrouve dans le reste de l'édifice, ce qui crée une forte impression d'unité, sensible dès l'entrée, au visiteur qui pénètre dans l'église.

On peut remarquer que diverses dispositions adoptées dans l'église aussi bien en plan (nef et transept pourvus de collatéraux, déambulatoire à chapelles rayonnantes), élévation (à deux niveaux) ou système de voûtement employé (en quart de cercle sur les tribunes), se retrouvent dans les grandes églises de pèlerinages qui s'échelonnent sur les routes de Compostelle.

La décoration intérieure surtout concentrée sur les chapiteaux est relativement peu abondante. Dans le chevet, les chapelles du transept et du déambulatoire, les chapiteaux dit "cubiques" sont nombreux mais on voit également des chapiteaux très sobres à décor de feuilles plates et pointues surmontées de petites volutes. Certains autres peuvent présenter des entrelacs encore archaïques, des figurations animales ou monstrueuses dont les quadrupèdes affrontés, un centaure et tout à fait exceptionnellement une scène figurée : le sacrifice d'Abraham. Au carré du transept, des feuilles d'acanthe voisinent avec des chapiteaux historiés. Dans le bras méridional du transept, trois chapiteaux retracent les derniers épisodes de la vie de saint Pierre, rappelant que cette partie de l'église lui était consacrée. Le thème, courant en Auvergne, de l'avare portant sa bourse autour de son cou apparaît dans les tribunes nord. Chose rare, un sculpteur a même signé de son nom, selon la formule "Bernardus me fecit", un chapiteau finement travaillé dans le bras sud.

Dans la nef parmi les chapiteaux historiés certains sont consacrés à l'Annonciation, au combat de saint Michel contre le dragon ou à des combats de cavaliers et de fantassins qui évoquent les chansons de geste des routes de pèlerinages, sans exclure cependant les aigles, sirènes ou chimères ou autres figures de bestiaire. Il faut signaler de plus qu'un chapiteau de la nef est consacré à l'histoire de sainte Foy, patronne du monastère. On retrouve le même sujet à Saint-Jacques-de-Compostelle à l'entrée de la chapelle consacrée à sainte Foy dans le déambulatoire, ce qui prouve bien les relations existant entre ces grandes églises de pèlerinage.

A l'extérieur on ne peut manquer d'être sensible à la force de l'architecture très marquée, en particulier par le déploiement et le dégagement des chapelles ordonnées autour du déambulatoire. L'abside tout ajourée de baies, en émerge, animée par les jeux d'ombres que font les arcatures. Des contreforts colonnes montent jusqu'à la corniche soutenue par de nombreux modillons à copeaux qui dénotent une influence musulmane.

Le tympan de la façade occidentale, par ses dimensions, et son iconographie remarquablement riche et sa beauté, est une des réussites de la sculpture romane. Il occupe une place très à part dans l'œuvre des sculpteurs romans par son style ; il a, de plus, la particularité de posséder encore quelques restes de polychromie romane, chose exceptionnelle. Le décor y est savamment disposé, et partagé par des bandeaux horizontaux portant des inscriptions, ainsi qu'au registre inférieur par des arcatures et lignes obliques ou bâtières, qui dessinent de grands angles obtus. Tout un peuple de figures grouillantes se répartit entre ces quelques lignes géométriques, dans une densité pleine de vie.

Le Christ Juge apparaît au centre de la composition qu'il domine de toute sa taille, au milieu des nuées. Il est encadré d'une mandorle constellée d'étoiles et cernée de nuées dans lesquelles s'agite tout un peuple d'anges. Une gigantesque croix se dresse au-dessus de lui, accompagnée d'anges qui portent les instruments de la passion, des banderoles, des boucliers ou des trompettes avec lesquelles ils annoncent la Résurrection et le jugement dernier.

La Résurrection des morts occupe le registre inférieur, composé de deux linteaux en bâtière sur les rampants desquels on voit les morts sortant de leurs sarcophages, dont les couvercles sont soulevés. Au milieu, face au démon, saint Michel tient la balance : tous deux semblent se défier. A gauche, prosternée devant lui, à la porte de son église, sainte Foy implore la miséricorde de Dieu. Le Christ Juge majestueux lève le bras droit vers le Paradis, y accueillant les élus, et tend le bras gauche vers l'Enfer pour y refouler les damnés. La Sainte Vierge et saint Pierre s'avancent vers lui, suivis d'un personnage identifié comme étant Dadon, le fondateur premier du lieu saint, puis viennent Charlemagne et sa sœur Berthe et à leur suite tout un cortège de saints

Des arcades représentent au linteau le Paradis. Abraham y reçoit au centre les âmes bienheureuses, entouré d'autres élus déjà ressuscités. L'Enfer occupe toute la partie gauche du Christ déployant sur plusieurs registres les supplices infernaux. L'énorme gueule du Léviathan surgit à gauche du Christ tandis que Lucifer trône au milieu des damnés, et que les péchés, orgueil, avarice, luxure sont représentés de façon très imagée afin de faire une grande impression sur les humbles pèlerins. En contraste étonnant avec la richesse du tympan, le trumeau et les montants du portail sont restés nus. On admet généralement que l'exécution du tympan a dû se dérouler sur une assez longue période couvrant tout le début du XIIᵉ siècle.

Un enfeu, sur le côté sud de l'église et à l'extérieur abrite le tombeau de l'abbé Begon, mort en 1107. Une épitaphe rappelle sa participation à la construction du cloître. De part et d'autre du Christ, on reconnaît l'abbé ainsi que sainte Foy accompagnés chacun

Pages 104/105 :

Vue aérienne de l'édifice

Conques ne représente pas tout ce que peut offrir de richesses le Rouergue monastique. Il faut citer au même titre, les ruines de l'abbaye de Silvanès, l'abbatiale Saint-Sauveur de Figeac, la grande Chartreuse de Villefranche-de-Rouergue fondée en 1450, ou d'autres encore. Lorsqu'en 1836, Prosper Mérimée alors inspecteur général des Monuments historiques découvrit, pendant son voyage en Auvergne, Sainte-Foy de Conques, il n'était selon ses dires, "nullement préparé à trouver tant de richesses dans un pareil désert". En effet, il s'agissait de l'un des plus merveilleux et rares trésors du monde dans un écrin de solitude "au milieu des plus âpres montagnes du Rouergue et qui avait de plus le rare privilège de posséder la seule statue de majesté carolingienne encore existante".

d'un ange ; celui qui est derrière la Sainte, la couronne. Les plis caractéristiques, les oreilles et les yeux percés au trépan dont les pupilles sont garnies de plomb, donnent une vie saisissante à ces figures quelque peu empreintes de lourdeur et proches en cela des chapiteaux du cloître. Les arcades de la galerie occidentale du cloître subsistent ainsi que le reste des bâtiments monastiques. A cette pauvreté de l'ensemble des monuments monastiques, on peut opposer la richesse éclatante du trésor dont la statue reliquaire de sainte Foy est la pièce maîtresse : elle se compose d'une âme de bois d'if sur laquelle a été plaquée une forme en métal repoussé qui remonte fort loin dans le temps (peut-être au Bas-Empire). L'émail, ainsi que l'iris bleu des yeux, les feuilles d'or enrichies de pierres précieuses, de camées et intailles antiques, et la couronne étincelante confèrent une vie singulière et fascinante à cette très austère, très frontale et très précieuse figure de pèlerinage.

Ci-contre :

Le reliquaire de Sainte-Foy

La statue de sainte Foy dont l'âme en bois du IXᵉ est revêtue d'or et incrustée de pierres et de camées antiques a été remaniée au cours des siècles. Sans doute sa tête provient-elle d'une effigie du Bas-Empire. Elle se trouve être le plus ancien exemple des statues miraculeuses décrites par l'écolâtre d'Angers, Bernard, qui voyageait dans la région à cette époque. Dans le livre des Miracles de sainte Foy, il a conté sa surprise devant l'étrangeté de cette "idole" miraculeuse qui a exercé son pouvoir attractif sur des pèlerins, des siècles durant. C'est d'elle qu'est venue la fortune de l'abbaye devenue but de pèlerinage autant qu'étape sur la route de Compostelle.

Page en regard :

Vue extérieure du chevet

Après la ferveur des pèlerinages, vint le déclin. Aujourd'hui ne demeure que la silhouette sévère, inaltérable et monumentale de l'abbatiale veillant sur le village aux toits de lauzes, étagé à flanc de coteau dans un ravin aux altières frondaisons. La jeune martyre, enchâssée dans cet ensemble médiéval, est encore l'âme de ce lieu. De ses bras ouverts, elle accueille toujours, hiératique, les pèlerins et leurs offrandes, tandis que son regard se perd en des lointains invisibles. Telle une aspiration vers le monde spirituel, la sensation de verticalité frappe à l'entrée de l'église et se ressent à l'extérieur dans le crescendo des toits, la pyramide des absidioles ou le clocher, si soigneusement étagé au chevet.

Moissac

L'histoire de l'abbaye de Moissac, très marquée par quelques épisodes troublés, doit beaucoup à la poigne et à l'énergie de ses abbés qui surent y faire face.

En effet peu après sa fondation déjà, au VIIe siècle, elle eut à subir le passage dévastateur des Arabes, et à peine remise de leur occupation en particulier, grâce au roi Louis le Débonnaire, elle voit arriver les Normands qui pillent sans retenue les richesses de l'abbaye.

Il faut attendre son rattachement à l'abbaye de Cluny en 1047, pour que la paix revienne et que les grands abbés puissent opérer une restauration salutaire des lieux.

Deux édifices, l'un mérovingien, l'autre carolingien se sont succédé, dont il ne reste que de minces fragments, avant la grande église consacrée solennellement en 1063, comme l'atteste une inscription commémorative dans le mur du déambulatoire. Les travaux débutent alors sous l'impulsion énergique que leur donne l'abbé de Gavaret d'une part, puis l'abbé Ansquitil d'autre part, auquel on doit l'essentiel des sculptures et le cloître réalisés au début du XIIe siècle.

A défaut de la voir telle qu'elle aurait dû être encore aujourd'hui, il faut imaginer, à partir d'éléments demeurés sur place ainsi que des témoignages recueillis lors des fouilles, la nef initiale, large, couverte, à l'instar de la cathédrale de Cahors, par deux coupoles, et encadrée de deux collatéraux. Elle se poursuivait par un chœur doté d'une abside semi-circulaire. Cette église abbatiale avait été entreprise par l'abbé Durand de Bredon et achevée vers 1180.

Après la succession de ces abbés énergiques et d'une grande valeur spirituelle, l'abbaye connaît une période de prospérité qui s'achève dès le XIIIe siècle avec la prise de la ville par Simon de Montfort. Le monastère est pillé et un incendie ravage les parties supérieures de l'abbatiale et du cloître. Deux autres abbés s'efforceront ensuite de relever l'abbaye, reconstruisant les arcades du cloître.

Alors que Moissac sortait ravagée des dommages causés par la guerre de Cent Ans, le Saint-Siège accorda une autorisation de restauration à l'abbaye, à condition de respecter et d'utiliser les parties encore valides de l'ancien monument. Ce qui explique que le clocher ainsi que les parties basses de la nef aient été conservés, alors que les coupoles sur trompes qui la couvraient à l'origine étaient remplacées par des voûtes de style gothique. Le chœur et le sanctuaire ont été repris également avec la mise en place d'une abside à pans coupés, équilibrée par de hauts contreforts, éclairée par des fenêtres de forme lancéolée et couverte d'un magnifique voûtement en forme de conque.

Tombée en commende, l'abbaye a été sécularisée en 1626. Parmi les plus illustres de ses abbés, on peut alors citer Mazarin, au XVIIe siècle, et Loménie de Brienne au XVIIIe. Le chapitre a finalement disparu en 1790, l'abbaye a été pillée trois ans plus tard. Vendu, le cloître échappe à la destruction grâce au secrétaire de la commune ; Viollet-le-Duc se livre ensuite à une œuvre de restauration de grande envergure devenue indispensable, en particulier pour le portail. De plus, deux campagnes de fouilles ont permis de reconstituer le plan initial et de découvrir des mosaïques romanes et le sanctuaire préroman. La salle capitulaire a elle aussi bénéficié des soins du service des Monuments historiques.

Longue de plus de soixante mètres, l'église comprenait à l'origine une nef de deux travées divisée aujourd'hui en quatre travées voûtées d'ogives et éclairée dans sa partie supérieure par des fenêtres gothiques. Actuellement dépourvue de collatéraux et de transept, la nef s'achève par un sanctuaire à cinq chapelles rayonnantes.

Construit vers 1120-1125, le clocher-porche qui abrite le portail est sans nul doute la partie la plus ancienne de l'église. Le narthex, ou grande salle rectangulaire à l'étage inférieur, dut être édifié en premier et couvert d'une voûte sur croisée d'ogives. Celle-ci, encore archaïque, doit être l'un des premiers exemples de voûte sur croisée d'ogives de la région. Elle ne possède pas de clé de voûte et les deux nervures sont portées par de robustes colonnes engagées. Les chapiteaux des colonnes sont ornés de feuillages, branchages, oiseaux et lions qui semblent antérieurs aux sculptures du portail ou du cloître.

Le grand portail a été plaqué dans ce narthex, à la fin du XIIe siècle. Ce narthex sert de base à une autre salle qui s'ouvre à l'étage par trois arcades sur ses quatre faces. On y accède par deux escaliers à vis situés dans les piles orientales de la tour. La voûte est supportée par douze branches d'ogives de section carrée, rayonnantes et les retombées de ces demi-colonnes sont portées par des demi-colonnes engagées. On peut dater cette salle des années 1125-1130.

Elle est entourée d'une galerie crénelée qui bouche en partie ses hautes fenêtres en plein cintre, surmontées par d'autres fenêtres identiques mais plus petites. Cette galerie supérieure fut ajoutée au milieu du XIIe siècle pour renforcer le clocher servant alors de donjon. Ces galeries sont voûtées elles aussi au sud et au nord par un demi-berceau. Il faut ajouter que la partie supérieure du clocher qui est percée d'arcs brisés et construite en briques, fut refaite aux XVᵉ et XVIIᵉ siècles sur sa face sud.

Découvert dans la pénombre que lui procure une arcade monumentale, le tympan ne manquera pas d'impressionner le visiteur, par la vision fulgurante de l'Apocalypse qu'il lui propose. On doit à l'abbé Ansquitil cette extraordinaire création de l'art roman, ainsi qu'à son successeur, l'abbé Roger dont une statue atteste le rôle actif. Tout d'abord placé à la porte occidentale du clocher-porche, le portail fut démonté et remonté au sud sous un arc voisin formant porche lors de fortifications de la façade en 1140 ou 1150.

Trois voussures séparées de tores portés par de fines colonnettes à chapiteaux encadrent le tympan. Le linteau en marbre blanc se trouve supporté par un trumeau central.

Le Christ juge de la fin des Temps se dresse immense et surhumain, paré d'une mandorle étoilée, assis sur un trône somptueux. Il est entouré des quatre symboles des évangélistes ainsi que des vingt-quatre vieillards, selon la description de l'Apocalypse, avec leur vièle et leur fiole à parfum. On remarquera qu'outre son visage impassible, le Christ a été sculpté avec une grande science de la perspective. Les plis plats de son manteau resserrent la tunique souple, de laquelle s'échappe un plissé bouillonnant, motif qui est appelé à devenir typique de la sculpture romane languedocienne. Il incarne ainsi toute la majesté, autorité, et sérénité de la présence divine.

Extase, transport et fougue caractérisent les symboles des quatre évangélistes auxquels se joint une arabesque de chérubins, autour du Christ. Autres contemplateurs de cette vision apocalyptique, les vingt-quatre vieillards sont assis sur leur trône dans des vêtements de gloire, complétant en cela la vision d'Ezéchiel suivie ici par l'artiste. Leur anatomie est soigneusement recherchée sous les tuniques au plissé généreux et il faut observer en détail chaque visage frémissant de vie et d'une expression particulière. Deux de ces têtes ont cependant été refaites.

Le linteau semble être le fragment réemployé, en trois parties appareillées d'un édifice plus ancien. Son décor est fait de grandes rosaces unies par des cordages crachés par la gueule de deux monstres, en un esprit très roman.

On peut voir aussi de petits rinceaux bordant un galon fait de feuilles diverses. L'ensemble est sculpté légèrement, mais de façon très soignée. Le trumeau, lui, reprend des variations semblables avec son décor de lions entrelacés sur fond de rosaces.

Il faut aussi mentionner les grandes figures de saint Paul et saint Jérémie (pense-t-on) sur ses faces latérales à redents. Tandis qu'on peut voir sur les piédroits aussi à redents, le prophète Isaïe à droite, et saint Pierre, à gauche. Quelques bas-reliefs représentant les scènes de l'Annonciation et de la Visitation sous des arcades trilobées avec des figures très raffinées, sont insérés dans les bas-côtés. Au registre supérieur, on peut voir l'Adoration des Mages et la Présentation de Jésus au Temple, ainsi que la Fuite en Egypte. Egalement à gauche, sous une double arcade ornée d'un décor trilobé, on verra les supplices infernaux suivant les péchés de luxure, ou avarice, ainsi que dans le bas-relief supérieur, la parabole de Lazare. Deux hautes colonnes à chapiteaux corinthiens, situées à l'entrée du porche servent de support à deux statues, à droite celle de l'abbé Roger et à gauche, un autre abbé ou saint.

Toute la nef, ainsi que l'abside, se trouvent étayées par d'épais contreforts. Variés, les mobilier et décor liturgiques, comprennent une clôture de chœur Renaissance et des stalles du XVIIᵉ siècle qui portent les armes de Mazarin. D'autres sculptures, une Mise au tombeau gothique, une Fuite en Egypte, un beau Christ roman et un sarcophage mérovingien complètent le mobilier de l'église.

Malgré la disparition des quinze sujets ornant le portique de la fontaine, on peut dire que le cloître de Moissac représente l'ensemble roman le plus important par ses dimensions, sa qualité et son unité, du patrimoine français. L'abbé Ansquitil l'a édifié à la fin du XIᵉ siècle. Une inscription gravée sur un des piliers atteste qu'il fut achevé en 1100, fait rare, car il est exceptionnel que l'on puisse dater de façon si précise et si sûre un ensemble sculpté à l'époque. On peut seulement déplorer que les arcatures en plein cintre aient été remplacées au XIIIᵉ siècle par des arcs en tiers-point. Ces arcatures alternativement simples ou jumelées sont portées par des colonnes de marbre aux tonalités subtiles, variant selon la lumière. Les marbres proviennent sans doute des Pyrénées et l'on peut facilement expliquer leur présence par un remploi de quelque monument antique. Les colonnes reposent toutes sur des bases rectangulaires ou carrées suivant l'alternance des colonnes, simples ou jumelées, à profil roman.

Aux angles et au centre de chaque côté du cloître sont disposés des piliers de brique, rectangulaires et couverts de plaques de marbre, dont l'un porte la fameuse inscription datant l'ensemble. Une charpente qui naissait à l'époque romane au-dessous des fenêtres de la nef couvre la toiture. Une fontaine couverte d'un portique rectangulaire s'élevait dans l'angle nord-ouest. Malgré des mutilations regrettables, les piliers et chapiteaux forment un ensemble sculpté magnifique et exceptionnel. Les chapiteaux de dimensions et formes semblables très simples se prêtent bien par leur surface portante au décor sculpté.

L'ornement floral ou animal est très présent mais c'est le cycle historié qui occupe la première place, chaque thème se trouvant amplifié par la valeur instructive qui en émane auprès du visiteur. La plupart des sujets ont été choisis dans la Bible, beaucoup plus dans le

Page 112 :
Le cloître

Le porche est avec le cloître l'autre titre de gloire de Moissac. Daté des années 1110-1120, il était sans doute destiné à s'ouvrir sur la façade occidentale du clocher porche, mais fut déplacé lorsqu'on décida de fortifier le clocher.

Pages 114/115 :
La galerie du cloître

L'église actuelle reconstruite au XVᵉ siècle après la désastreuse guerre de Cent Ans a conservé du XIIᵉ les parties basses du mur de sa nef, l'énorme clocher porche à étages occidental ainsi que le porche lui-même. Le cloître, lui, construit avant 1100 par l'abbé Ansquitil, a souffert lors des troubles causés par les Albigeois. Ses arcades ont dû être refaites vers 1260, mais en gardant les colonnes et les chapiteaux originels.
Comment ne pas rester émerveillé, après la redoutable vision du tympan, par cet harmonieux cloître, aux arcades en arcs brisés, aux fines colonnes, aux multiples chapiteaux de calcaire ocré qui développent par ces célèbres sculptures à thèmes bibliques ou historiques tout un monde sous les yeux des pèlerins.

Page en regard :

Colonnes et arcades :
Malgré le remarquable essor de l'architecture religieuse, en liaison avec les grandes fondations monastiques en Languedoc et en Roussillon, les débuts de Moissac furent difficiles. Cette abbaye était pourtant appelée à un devenir considérable, les fameuses sculptures de son porche ou de son cloître devant lui apporter une renommée mondiale.
Après les ravages successifs des Normands, des Hongrois, et un incendie au XIᵉ, l'abbaye une fois affiliée par saint Odilon à Cluny est placée sous l'autorité du moine clunisien Durand de Bredon. Elle connaît alors une grande fortune. A son apogée, l'abbaye accueillait jusqu'à un millier de moines et pouvait s'enorgueillir d'avoir l'apanage, rare, d'élire elle-même ses abbés.

Nouveau Testament (28 chapiteaux) que dans l'Ancien (11 seulement), en particulier des épisodes de la vie de Jésus-Christ et certains autres en rapport avec les saints honorés dans l'église : Benoît, Martin, Laurent, Sernin…

Les paraboles et miracles évangéliques fournissent la plus belle série formelle et expressive de ces sculptures. On ne peut nier qu'à la valeur didactique de l'ensemble s'ajoute une richesse documentaire incontestable, visible dans les costumes, les armements, le mobilier, l'outillage et autres représentations de la vie médiévale. Le style lui-même est fidèle à une certaine tradition, qui sur les bas-reliefs par exemple, plaque fortement les corps sur le fond.

Pour les chapiteaux il en sera tout autrement, puisque les corps se meuvent dans l'espace, projetant bras ou jambes en avant dans une démarche dansante très propre à l'école languedocienne de sculpture. Les reliefs ont acquis un volume et une expression satisfaisants. Animés d'une vie propre, ces multiples personnages traduisent autant de facettes de caractères et d'expressions psychologiques.

Sans doute l'important atelier auquel on doit ce magnifique ensemble sculpté était-il fortement structuré comme le laisse à penser l'homogénéité de sa réalisation. Il devait également être en rapport avec les ateliers contemporains de Saint-Sernin ou de la Daurade à Toulouse.

Arles : Saint-Trophime

Arles, antique primatiale des Gaules, implantée au cœur d'une cité romaine, a recueilli au Moyen Age, alors qu'elle était devenue un siège majeur de l'épiscopat provençal, l'héritage de la Rome impériale. Elle s'est ainsi érigée en foyer de création essentiel, par l'incomparable osmose qu'elle a su réaliser entre l'art antique et la vision romane. Aujourd'hui encore le portique des arènes tout autant que l'imposante tour carrée de Saint-Trophime qui dominent toute la ville, évoquent, en un symbole double, ces temps révolus.

Il ne fallut pas moins de sept siècles, en trois étapes principales correspondant à trois moments importants de l'histoire de l'église d'Arles pour recomposer la vie de celui qui, selon la tradition, a toujours été considéré comme le premier fondateur de la communauté chrétienne d'Arles.

Né à Ephèse, en Asie Mineure, et disciple de saint Pierre, Trophime a suivi saint Pierre à Rome d'où il fut envoyé avec d'autres disciples en mission dans les Gaules. Arrivé à Arles en 46, il a fondé un petit sanctuaire dédié à la Vierge qui deviendra l'église Notre-Dame-des-Grâces dans un cimetière à l'écart de la ville, le cimetière des Alyscamps. Après la conversion du préfet du prétoire, il a fondé également dans une salle de son palais un oratoire dédié à saint Etienne, dont il avait rapporté les reliques. Vers la fin de sa vie il revint à Arles et lors d'une bénédiction au cimetière des Alyscamps, l'empreinte de son genou resta gravée dans un rocher : à la suite de ce miracle, une petite chapelle fut construite sur le lieu même.

La présence de ces reliques entraîna une rivalité de patronage entre les deux saints à laquelle mettra fin le choix du vocable majeur de saint Trophime au moment de la reconstruction de la cathédrale et du transfert des reliques de ce saint patron.

Une nouvelle église est construite à la fin du Xe siècle et au début du XIe siècle en petits moellons appareillés. Elle se compose d'une nef avec ses bas-côtés, d'un transept avec une coupole à la croisée et d'une abside avec ses absidioles. Après une longue période de travaux le 29 septembre 1152 eut lieu la cérémonie solennelle de la translation des reliques de saint Trophime et de saint Etienne. La nef romane de cinq travées et le transept de cette église sont conservés tandis que l'abside et les absidioles ont disparu.

A la quatrième travée de la nef, un escalier de dix-huit marches donne accès à ce que l'on peut appeler une « plate-forme », s'étendant sur toute la cinquième travée ainsi que le transept et l'abside de façon à former un chœur surélevé à quatre mètres au-dessus du sol, avec l'autel majeur en son centre. En dessous se trouve la crypte qui abritait les reliques de saint Trophime, celles-ci selon le Guide du Pèlerin de Saint-Jacques devant être honorées après celles de Saint-Honorat-des-Alyscamps.

Au cours de la seconde moitié du XIIe siècle, un portail décoré fut ajouté contre la façade occidentale, ce pourquoi le sol de la nef fut remonté de plus d'un mètre, afin que le porche se trouvât mis en valeur. De ce fait la crypte s'est trouvée en contre-bas, alors qu'elle était auparavant au niveau du sol de la nef, et un escalier a été nécessaire pour y avoir accès. Tous ces travaux ont été vite réalisés, juste avant la cérémonie du couronnement de Frédéric Barberousse comme roi d'Arles en 1178. Une grande tour carrée à la croisée du transept, à la place d'un ancien clocher octogonal, a achevé la construction.

D'autres transformations eurent lieu au cours du XVe siècle, la mort de Louis Alleman, prélat célèbre dont la réputation de sainteté était grande, ayant entraîné la naissance d'un pèlerinage sur sa tombe. Les dons affluent et permettent de nouvelles constructions : l'abside et les absidioles ainsi que la crypte disparaissent au profit d'un chevet gothique formé d'un long chœur et d'un déambulatoire avec des chapelles rayonnantes. Les reliques de saint Trophime et de saint Etienne sont alors mises dans une châsse placée dans le clocher au-dessus de la coupole, tout comme aux Saintes-Marie-de-la-Mer. Lieu de réunion pour les Arlésiens pendant la Révolution, Saint-Trophime est devenu le Temple de la Raison sans grand dommage à déplorer. En 1801, la suppression de l'archevêché d'Arles par le Concordat et son rattachement à Aix-en-Provence, font de Saint-Trophime une église paroissiale. Classée monument historique par Prosper Mérimée en 1840, elle a fait l'objet d'une première restauration menée par Revoil en 1870 puis d'une seconde depuis 1968.

Saint-Trophime, au cœur de la ville, se trouve sur une place aménagée à l'italienne au XVIIe siècle, dont la grande harmonie dans toutes ses façades fait se détacher le célèbre et incomparable portail sculpté de sa façade. Il forme un contraste étonnant avec la façade très austère qui reflète parfaitement l'ordonnance intérieure de l'édifice : une nef centrale haute et des bas-côtés étroits. Le tout cantonné de contreforts peu saillants et comme dissimulés dans l'ensemble. Les rebords de la toiture sont marqués par une corniche à modillons. Seules deux ouvertures animent ce grand mur : une fenêtre supérieure en plein cintre sous le fronton du pignon et une baie inférieure rectangulaire. Sur ce mur occidental la différence d'appareil entre la partie basse faite de petite moellons à joints épais, et le haut construit en un moyen appareil régulier à joints très fins est remarquable.

Sept marches ont surhaussé le portail de Saint-Trophime au-dessus du niveau de la place. Il forme un registre sculpté indépendant par rapport à la façade devant laquelle il a été plaqué vers 1150. Nous avons là avec l'autre façade somptueuse de Saint-Gilles-du-Gard un peu antérieure, les deux seuls exemples de grands ensembles sculptés de l'art roman provençal.

Face à la richesse de cette composition ornementale unique, voire exceptionnelle, on peut, afin de l'expliquer, songer qu'Arles fut siège archiépiscopal et eut à ce titre une influence très importante au XIIe siècle dans les domaines politique et religieux. De plus étant très liée au pèlerinage de Saint-Jacques-de-Compostelle, elle était avant tout une église faite pour contenir des reliques et se devait donc d'être très ornée. L'iconographie savamment conçue par des clercs hautement cultivés, et réalisée par des artistes de génie, est porteuse de tout un message et illustre parfaitement la synthèse réalisée ici entre le monde antique et le Moyen Age.

C'est en effet sous forme d'un arc de triomphe que s'ouvre tout d'abord l'église. Cet arc puissant, en plein cintre, inclus dans un fronton, n'est pas sans rappeler l'arc municipal de Glanum. Peut-être sa silhouette a-t-elle inspiré la forme du porche, tout comme l'ordonnance de ses colonnes s'est trouvée reprise à la façade de la cathédrale de Saint-Paul-Trois-Châteaux. Ces emprunts souligneraient la similitude existant entre les deux édifices dont on peut penser qu'ils sont peut-être dus au même atelier.

Mais, à Saint-Trophime, la complexité de l'ensemble démontre que les sources d'inspiration furent nombreuses, dues aussi bien aux sarcophages paléochrétiens arlésiens pour la composition de deux frises, qu'à la disposition de l'arc de Saint-Remy sur ses faces latérales, pour les grandes statues situées dans des niches et séparées par des pilastres. De plus, il ne faut pas oublier qu'une bonne partie des matériaux a directement été prise sur les ruines du théâtre antique tout proche et réemployée.

Le porche à double rampant est bordé d'une corniche qui porte un décor de feuilles d'acanthe. Elle-même est soutenue par des consoles sculptées de motifs végétaux ou de corps d'animaux. Le portail, lui, est entouré de trois rangées de voussures moulurées encadrées d'une archivolte ornée de feuilles d'acanthe, identiques à celles de la corniche précédemment observée. L'intrados de l'arc seul est sculpté d'anges les bras levés en prière, sur deux rangs.

Le génie des artistes se manifeste d'ores et déjà dans cette portion de la façade, où ils ont su associer le thème du piédroit antique et la multiplicité des plans très romane, due aux arcs ébrasés.

Le tympan se déploie ensuite au-dessus d'un linteau reposant sur deux pilastres cannelés ayant des chapiteaux, de part et d'autre de la porte rectangulaire, et également soutenu par un trumeau central. Un décor exceptionnel et tout ornemental de motifs divers tels que des oves, denticules, perles, pirouettes ainsi qu'une très belle frise de grecques entoure le cintre légèrement brisé du tympan. Une solution particulière a été adoptée ici pour le décor des piédroits se déployant sur tout le volume du porche : il s'organise en effet en deux niveaux superposant deux frises sculptées et rappelle par là même le théâtre antique d'Arles où l'on peut observer la même disposition. Une série de grandes niches rectangulaires à l'intérieur desquelles se trouvent les statues en pied des saints patrons de l'église séparées par des pilastres, portant l'entablement, avec une frise sculptée, forme le premier niveau. Le second est constitué par un portique se terminant pareillement avec un entablement et une frise sculptée, et se situe en avant du premier.

Cette savante composition parfaitement rythmée et équilibrée par la dynamique des lignes verticales orientées vers le Christ et les registres horizontaux, illustre une fois encore la symbiose réussie entre la superposition de différentes zones de décor, caractéristique des monuments romains, mais animée de l'esprit médiéval par la répartition hiérarchique et historique des thèmes iconographiques.

Le portail ne fait que prolonger la complexité déjà sensible dans la composition en associant deux thèmes iconographiques : le jugement dernier, ainsi qu'une vision de saint Jean. Le Christ en gloire, triomphant, trône donc au tympan, assis, l'Evangile sur ses genoux et bénissant de la main droite. Sa tête couronnée est bien détachée du décor de la bordure. Il porte une robe brodée et un long manteau dont le drapé est fait de plis très fins, ses pieds sont nus. Les symboles des quatre évangélistes, ou Tétramorphe, tournés vers lui, l'entourent.

Le linteau porte les apôtres nimbés, assis, avec un livre fermé sur leurs genoux en derniers témoins de la vie du Christ, tout comme ils l'avaient été durant toute sa vie. Au sommet de l'arc, les trois anges du jugement sonnant de la trompette appellent les morts à sortir de leurs tombeaux. Les élus viennent en cortège à la droite du Christ, tandis que les damnés enchaînés partent vers l'Enfer en une composition saisissante et sans nul doute impressionnante pour les visiteurs et pèlerins.

Les scènes de l'enfance du Christ sont représentées au-dessous, groupées sous de petites arcatures en une composition inspirée des sarcophages paléochrétiens.

Puis, viennent aux piédroits, les grandes figures frontales et hiératiques des saints patrons, en particulier saint Etienne représenté lapidé et saint Trophime en habit pontifical avec sa crosse, bénissant. Le dernier registre horizontal porte une seconde frise avec l'enfance du Christ et en particulier la lutte de l'Homme contre le péché, évoqué par un lion, monstre infernal par excellence, terrifiant, ainsi qu'il l'était souvent au Moyen Age. On peut rappeler à ce propos, qu'à Saint-Gilles-du-Gard, les socles des grandes statues du portail sont des lions. Les scènes de combat avec d'autres animaux évoquent la lutte quotidienne de l'Homme contre les tentations du démon, en une vision très fréquente à l'époque.

Le portail de Saint-Trophime témoigne, par la parfaite assimilation des formes romaines associées à l'iconographie chrétienne, de la "renaissance antiquisante" sensible à l'époque dans la région . A plusieurs titres, cet ensemble demeure exceptionnel, tant par son parfait état de conservation que par l'ampleur de son iconographie savamment organisée, chaque thème se déployant avec force et en respectant la hiérarchie selon les lignes verticales et horizontales qui rythment le tout, pour culminer en une vision triomphale et solennelle de la Théophanie du Christ, annoncée par les registres précédents.

L'église est édifiée sur un terrain étroit et en déclivité (sur le flanc ouest de la colline de l'Auture). Des substructions ont été nécessaires pour racheter cette déclivité du sol, sans doute réutilisées d'un monument du Bas-Empire romain.

On est tout de suite frappé en entrant dans l'église, comme on peut l'être également en entrant dans l'église de Saint-Paul-Trois-Châteaux par la hauteur de la nef (qui dépasse 20 mètres) et sa longueur soulignée par l'étroitesse du vaisseau et plus encore par celle des bas-côtés. L'exiguïté du terrain utilisé en centre ville a déterminé ces proportions. De plus, le flot de lumière qui inonde la pierre blanche dénuée de tout décor, hormis les chapiteaux dans la nef et la corniche à la naissance des voûtes, rend encore plus sensible le volume très caractéristique de cet édifice. Des marques de tâcherons ponctuent les pierres taillées avec grand soin et assemblées pratiquement sans mortier.

Une voûte en berceau soutenue par des arcs-doubleaux à double rouleau couvre la nef. Les arcs-doubleaux retombent sur des piles cruciformes, au plan élaboré, caractéristique de l'art roman provençal. Quelques variantes sont visibles dans l'ensemble des cinq travées de la nef. La cinquième travée, en effet, se distingue des autres car elle est un peu plus courte, son axe est légèrement brisé par rapport à l'orientation générale de l'édifice, et sa voûte a une courbure qui diffère de celle du reste de la nef. Les bas-côtés communiquent avec la nef par des arcades en forme de berceau brisé à double ressaut, qui dans cette dernière travée sont plus hautes. Il semble donc que la nef ait été édifiée en deux temps : d'une part la cinquième travée, la plus à l'est, pour servir de contrefort à la croisée du transept porteuse du clocher, et d'autre part, les quatre travées précédentes.

On remarque d'emblée que le vaisseau central est directement éclairé par des fenêtres hautes percées sur les deux faces de chaque travée, au-dessus des grandes arcades. Cet exemple rare d'éclairage direct est justifié ici par la nécessité de rendre plus visible l'important décor situé dans la zone supérieure de l'édifice, grâce au flux de lumière vive. Ce décor consiste en une corniche de feuilles d'acanthe fortement sculptées, à la naissance des voûtes. Quelques variations dans le modelé permettent d'y déceler la main de sculpteurs différents. Les vingt colonnettes à ordonnance antique et les chapiteaux insérés dans les pilastres à dosserets forment l'essentiel du décor de Saint-Trophime, de même qu'à Notre-Dame-des-Doms, Aix-en-Provence ou Cavaillon. Les chapiteaux sont tous ornés d'un rang de feuilles d'acanthe, en un groupe homogène, très respectueux des formes corinthiennes, et sans doute issu du même atelier.

Ainsi que nous l'avons vu précédemment, les bas-côtés sont très étroits, (ainsi qu'à Saint-Paul-Trois-Châteaux), couverts de demi-berceaux qui épaulent la nef, mais sont trop bas pour contrebuter les poussées de la voûte centrale. Des arcs-doubleaux au profil particulier, en demi-rond et sans suivre le profil de la voûte, rythment les travées. La naissance des voûtes est marquée d'une corniche moulurée. Il faut remarquer la grande et magnifique inscription en vers, sous forme d'acrostiche, tout à la gloire du saint patron, qui court dans la dernière travée du collatéral nord, et dont on peut donner la traduction suivante :
"De Rome maîtresse de la terre, de sa double lumière
La rosée envoyée sera toujours présente
Comme jadis Joseph en terre étrangère les distribua
Après qu'il eut vaincu la mort infernale".

Cette inscription rappelle celle de la cathédrale de Vaison (dans le bas-côté nord) et participe ainsi à l'ambiance antique, très prisée au XIIᵉ siècle dans le pays arlésien.

Quatre grosses piles en moyen appareil régulier supportent les trois assises, puis la coupole sur trompes qui s'élève à la croisée du transept. Cette coupole est percée d'un grand oculus dans sa partie supérieure, par lequel furent descendues au XVᵉ siècle les châsses à reliques disposées dans une chapelle haute située à la base du clocher, dans la même optique que celle adoptée aux Saintes Maries-de-la-Mer. Quatre baies en plein cintre, entre les trompes, éclairent la coupole.

On passe de la croisée dans les croisillons du transept par des arcs en berceau brisé, à double ressaut. Les parties basses des murs du transept ont été sujettes à d'importantes restaurations car au XIIᵉ siè-cle, elles étaient incluses dans la crypte bâtie un peu avant 1152 pour recevoir les reliques de saint Trophime. Elles étaient alors de plain-pied avec la nef, tandis qu'un escalier de dix-huit marches menait à la partie supérieure avec l'abside et ses absidioles. Au moment où l'on ajouta le porche monumental à l'église, vers 1170, le sol de la nef fut exhaussé afin de conférer plus de majesté au portail en l'élevant au-dessus de la chaussée, et pour accéder à cette crypte maintenant en contrebas, quelques marches étaient donc devenues nécessaires.

L'appareillage différent selon les zones renforce l'idée que le transept est bien une partie originale de l'édifice, réalisée distinctement avant la cinquième travée de la nef, sans doute dans la seconde moitié du XIe siècle. La mise en place d'un chœur gothique a entraîné la suppression de l'abside romane semi-circulaire couverte d'un cul-de-four ainsi que de ses deux absidioles dont on voit encore la trace. Un nouveau chœur, une nouvelle abside et huit chapelles rayonnantes ont été ajoutés dans la seconde moitié du XVe siècle. Outre quelques tableaux, l'église possède également trois beaux sarcophages paléochrétiens de la fin du IVe siècle, dont l'un a longtemps servi de cuve baptismale, décoré de deux registres d'arcatures.

Il faut pénétrer dans la cour intérieure du palais archiépiscopal, au sud de l'église, pour mieux apprécier l'ordonnance extérieure de l'édifice, la longue toiture de la nef dominée par le clocher en un accent vertical très marqué et les toitures en dalles des bas-côtés. Les murs extérieurs sont soutenus par une série de contreforts plats, de façon à épauler les doubleaux de la voûte. Entre les contreforts ont été percées des fenêtres hautes en plein cintre, et toute la surface est régulièrement percée de trous de boulins. Une corniche à denticules, au décor floral ou géométrique, témoignant de la persistance du répertoire transmis par le premier art roman, exceptionnelle par son ampleur, marque le rebord du toit.

A la croisée du transept, s'élève le clocher, formé d'une haute tour carrée, reposant sur une baie, édifiée en moyen appareil à joints vifs, régulier, et comportant de nombreuses marques de tâcherons. Trois étages en retrait les uns sur les autres s'achevant par un attique composent la tour qui semble fortement inspirée des modèles romains. Elle est couverte d'un toit pyramidal à faible pente. Chaque étage est percé de baies, alternant avec des pilastres réunis par des bandes lombardes pour les deux premiers. Deux fenêtres en plein cintre sur chaque face, hautes et étroites, ont été percées aux premier et troisième étages, tandis que le second n'a plus qu'une seule et grande ouverture datant sans doute du XVIIe siècle.

Divers bâtiments de différentes époques prolongent le croisillon sud du transept : la sacristie (XVIIe) ainsi qu'une autre, plus ancienne et un corps de bâtiment du XIe siècle. De plus, l'escalier permettant l'accès au clocher se trouve également dans ce croisillon sud.

Quitter Saint-Trophime sans visiter le reste des bâtiments du chapitre et le cloître serait une grave omission, vu l'intérêt non négligeable qu'ils représentent. Situés à l'est de l'église, ces bâtiments forment un ensemble important, dans un mur d'enceinte. Le chapitre fit au XIIᵉ siècle l'objet d'une importante réforme, avec l'adoption de la règle de saint Augustin pour la vie commune. Le centre de la vie commune demeure bien sûr, le cloître, auquel on accède en ayant franchi le rempart qui protégeait la cité épiscopale, sous une porte monumentale.

Sa forme générale est celle d'un rectangle (de 28 m de long sur 25 m de large) mais tend vers le trapèze, la galerie nord étant un peu plus basse que la galerie sud, et traduit ainsi la distinction bien nette entre les galeries nord et est, romanes, et les deux autres, gothiques, ajoutées au XIXᵉ siècle. Le cloître fut en effet entrepris lors d'une période de prospérité générale de la Provence, à la fin du XIIᵉ siècle, qui s'achève très vite par la concurrence due aux ordres nouveaux, Templiers, Hospitaliers, Mendiants et Trinitaires, sans oublier les croisades qui arrivent à drainer une bonne partie des donations auparavant consacrées au chapitre de Saint-Trophime. Ces difficultés financières expliquent l'interruption temporaire du chantier, malgré laquelle tout l'édifice a su conserver une grande harmonie.

Chaque galerie se compose de trois travées voûtées en berceau dont les arcs inégaux sont soutenus par des doubleaux moulurés. Les grands monuments romains sont à l'origine de cet emploi d'arcs inégaux. Quatre arcatures en plein cintre, retombant sur des colonnettes jumelles rondes ou polygonales et dont les chapiteaux sont réunis par un tailloir commun et décorés sur les quatre faces, font communiquer les galeries avec le préau. De robustes piliers séparent les travées en rythmant le volume de l'ensemble. Ils portent la retombée de l'arc-doubleau sur leur face intérieure, en une composition à pilastres superposés, inspirée des monuments romains et propre à Saint-Trophime. Un parapet surmonte les galeries, bordant le promenoir supérieur. Il est percé de trous pour l'écoulement des eaux dans une corniche qui conduit en fait à une citerne et permettait ainsi à la communauté d'être alimentée en eau potable. Les toitures faites de simples dalles calcaires imbriquées, blanchies sous l'effet du soleil, assurent la couverture de l'ensemble.

La galerie nord, édifiée au sud-est du transept, est sans doute la plus ancienne du cloître et procure une grande impression d'harmonie et de perfection tant par son volume que par son décor. Une partie de l'arcature en plein cintre qui se développait sur le mur du fond a été retrouvée, donnant un exemple du bel appareillage employé et de la "transparence" qu'elle permettait sur le cloître. Il faut remarquer les quatre énormes piliers qui forment par leur structure les points forts du programme iconographique, grâce aux personnages sculptés ou aux bas-reliefs intercalés entre les pilastres. Tout aussi élaborée qu'au tympan, l'iconographie associe dans cette galerie les deux thèmes essentiels de la Résurrection du Christ et des Saints patrons de l'église d'Arles, en une plastique et une grammaire ornementales proches des modèles romains.

Page 126 :

Vue intérieure du cloître

Tandis que le palais de l'archevêque se dressait au sud de la nef, tout de suite en bordure de la place, les bâtiments du chapitre se trouvaient plus à l'est, sur la partie haute de la colline. Derrière leur mur d'enceinte, ils formaient un ensemble propre distribué autour du centre de la vie commune qu'est le cloître. Plusieurs réformes ont eu lieu dans le chapitre en vue d'une meilleure répartition des revenus, mis en commun, en particulier dans le troisième quart du XIIᵉ siècle, moment où la ville d'Arles connaît à la fois une phase d'expansion économique et de liberté communale. Le chapitre de Saint-Trophime s'est alors réformé et a entrepris la construction des bâtiments nécessaires à leur vie en commun centrée autour du cloître. Malgré la disparité visible entre les galeries romanes d'une part (nord et est) et gothiques d'autre part (sud et ouest), l'ensemble a su conserver une harmonie parfaite grâce à l'emploi d'un appareil soigné et de volumes minutieusement étudiés, sensibles également dans le reste de l'édifice, selon un goût qui a perduré à travers les siècles.

Ci-dessus :

Galerie intérieure du cloître, pilier aux trois figures sculptées

Le cloître d'Arles a l'allure d'un rectangle, mais par la différence entre les deux galeries sud et nord, il se rapproche plus d'un trapèze. Seules les galeries nord et est sont romanes, les deux autres ayant été ajoutées au XVe siècle après une longue interruption du chantier. La galerie nord est la plus ancienne, édifiée au sud-est du transept. C'est celle dans laquelle la recherche harmonieuse de la décoration et la perfection des volumes ont été le plus poussées.
On doit souligner ici la présence majeure des quatre énormes piliers qui scandent toute la composition et forment aussi les points forts de l'iconographie.

Page en regard :

Porche

C'est bien sous la forme d'un arc de triomphe romain que s'ouvre la façade de Saint-Trophime. Le célèbre portail forme un registre indépendant de la façade, au décor sculpté d'une densité extraordinaire. Diverses influences dues à la présence de restes antiques ou paléo-chrétiens ou encore au remploi de matériaux pris dans les ruines d'un théâtre antique proche, se font jour à travers la composition complexe de l'ensemble. Le portail s'ouvre sous un triple réseau de voussures moulurées et encadrées d'une archivolte.
La porte rectangulaire est surmontée d'un linteau soutenu en son centre par une colonne formant trumeau. Le tympan se déploie au-dessus

largement bordé d'un registre ornemental d'une grande richesse. Toute cette composition, fortement rythmée par des lignes horizontales et verticales, est très équilibrée. La décoration ornementale qui borde le tympan l'isole, et fait que se détache d'autant plus la figure du Christ triomphant et justicier, assis dans une mandorle et bénissant de sa main droite. Il est entouré des symboles des évangélistes. Cette apparition du Christ à saint Jean, est liée à l'évocation du jugement dernier, par la présence des apôtres, nimbés assis au linteau, témoins tout à la fois de l'apparition, de la vie et de la Passion du Christ qu'ils assistent dans son jugement.

Page en regard :

Vue du cloître avec le clocher

Le XIIe siècle est important pour la primatiale puisqu'il a vu la reconstruction de l'église avec pour consécration, la cérémonie de la translation solennelle du corps de saint Trophime à l'intérieur.
A la fin du Xe ou au début du XIe s., une nouvelle église a été édifiée en petits moellons, puis le silence s'est fait un moment au sujet des reliques, consécutivement à une longue période de reconstruction. Le 29 septembre 1152 a lieu la cérémonie solennelle de la translation du corps de saint Trophime ainsi que des reliques de saint Etienne dans la nouvelle cathédrale.
Celle-ci comprend la nef romane avec ses cinq travées conservées, un transept et une abside avec des absidioles, aujourd'hui disparues. Cette nef a reçu un escalier de dix-huit marches à la quatrième travée pour donner accès au chœur surélevé, où se trouve l'autel majeur. Au-dessous est aménagée une crypte où sont exposées les reliques saintes suivant en cela le modèle des cryptes à reliques de Saint-Honorat des Alyscamps ou des Saintes-Maries-de-la-Mer.
C'est au cours du XIIe siècle qu'un portail richement décoré est ajouté contre la façade occidentale, entraînant la surélévation du sol de la nef. La construction de l'église romane sera achevée par l'érection d'une grande tour carrée à la croisée du transept, à la place de l'ancien clocher octogonal dont subsistent encore quelques vestiges englobés dans la souche. D'autres modifications interviendront encore au XVe puis au XVIIe s., qui altéreront considérablement l'architecture romane.
Sa destinée connaîtra une fin plus calme : après avoir été temple de la Raison à la Révolution, elle fut classée monument historique en 1840 par Prosper Mérimée et bénéficia de deux campagnes de restaurations successives. De telle sorte qu'aujourd'hui encore on peut y admirer la symbiose réussie entre l'art antique et la vision romane.

Saint-Sernin-de-Toulouse

Toute l'histoire de Saint-Sernin-de-Toulouse est marquée par sa fondation initiale sur le lieu du martyre de saint Saturnin en l'an 250. Une modeste basilique de bois fut en effet construite à l'emplacement où l'on enterra le corps du martyr, dont le nom se transforma peu à peu en saint Sernin.

Le développement important du culte de ce martyr à la fin du IVe siècle entraîna la construction d'une nouvelle basilique peut-être par l'évêque saint Sylve, qui choisit un terrain libre en dehors de la ville. On peut penser que ce sont les restes de cette seconde basilique qui furent retrouvés dans la crypte supérieure de l'actuelle église romane.

L'église connut ensuite une inévitable période creuse due à un net relâchement dans la discipline du chapitre des chanoines qui la desservait, celui-ci se trouvant en rapport avec le chapitre de la cathédrale. La situation était telle que les laïques avaient la mainmise sur toutes les dignités ecclésiastiques qu'ils distribuaient à leur gré. Une réforme s'imposait donc, elle fut mise en œuvre par l'évêque Isarn qui institua des règles nouvelles de vie, insistant sur la pauvreté.

La récupération de leurs biens un temps usurpés par les laïcs, ainsi que les nombreuses offrandes des pèlerins et l'aide non négligeable de puissants protecteurs tels que Guillaume IX d'Aquitaine et sa femme Philippa, vont permettre aux chanoines d'envisager une nouvelle reconstruction de l'église Saint-Sernin sur des bases plus vastes et mieux conçues, afin de satisfaire aux besoins causés par le développement accru du pèlerinage. Raymond Gayrard, nommé administrateur de la fabrique, a donc la responsabilité financière du chantier. Il entreprend, alors que le chevet se trouve déjà achevé (sa dédicace eut lieu en 1096 par le pape Urbain II), d'élever les murs avec une énergie telle que les collatéraux seront achevés et les murs de la nef dressés jusqu'au niveau des fenêtres hautes, lorsque sa mort survint en 1118.

Ces faits sont connus par la "Vite" de Raymond Gayrard mais

l'on manque de connaissances autres pour préciser la suite des travaux. L'entreprise va se poursuivre, essentiellement centrée autour du culte du saint : ainsi en 1080 est aménagée une sorte de crypte funéraire à l'intérieur de l'abside primitive pour recevoir les restes de saint Sernin. Un haut mur de brique l'entoure, qui sert de soubassement aux colonnes formant au-dessus le rond-point du déambulatoire roman. Neuf fenêtres à encadrement de pierre éclairent cette crypte. Les fidèles pouvaient ainsi circuler autour du tombeau, par le déambulatoire, voir le tombeau par les fenêtres et même éventuellement mettre des objets en contact avec ce dernier par une petite fenêtre d'axe prévue à cet usage. La crypte renferme également les restes d'autres évêques, saint Hilaire et saint Sylve.

Toujours pour satisfaire les désirs des pèlerins fidèles le sarcophage de saint Sernin fut élevé de terre en 1258, puis installé dans une châsse somptueuse construite pour lui et surmontée d'un baldaquin.

Jusqu'à la Révolution, le chapitre fit toujours de gros effort pour l'entretien ou la rénovation du mobilier à cause de la grande vénération des fidèles constamment maintenue.

Le cloître et l'ancien palais abbatial aliénés comme biens nationaux ont disparu et des velléités se sont manifestées au XIXᵉ siècle, d'abord de dégager l'édifice en supprimant tout ce qui l'entourait, puis de "l'embellir" en sacrifiant au goût néogothique très en vogue à l'époque. Heureusement ces divers objectifs se sont heurtés à l'opposition farouche de la Commission des Monuments historiques, suscitant la rédaction d'un gros rapport par Prosper Mérimée, avant que Viollet-le-Duc, à son tour, ne se penche sur la question.

L'aspect donné au XIXᵉ siècle est donc encore celui que l'on connaît actuellement, mais les Monuments historiques ont entrepris une grosse campagne de restauration pour que l'édifice retrouve un peu de son aspect originel, en particulier la belle tonalité blonde de la pierre.

Par ses caractéristiques architecturales, Saint-Sernin appartient au groupe des grandes églises de pèlerinage, tout comme Sainte-Foy-de-Conques, Saint-Martin-de-Tours, ou Saint-Jacques-de-Compostelle, construites autour d'un trésor de reliques suscitant un pèlerinage régulier. Il fallait donc que ces édifices permettent aux pèlerins d'approcher les reliques tout en gardant la possibilité pour les moines d'assurer le service divin en célébrant le saint office dans le silence.

C'est pourquoi le plan original des basiliques à transept des IVᵉ et Vᵉ siècles a été conservé, mais modifié par l'adjonction d'un déambulatoire à chapelles rayonnantes permettant la circulation des pèlerins, ainsi que par la présence de chapelles sur les bras du transept pour la célébration de l'office par les moines. De plus ces grandes églises sont voûtées par des systèmes étudiés. Ici, deux collatéraux étagés séparés par une tribune épaulent la nef. L'un, le plus proche du vaisseau central, porte une haute voûte en demi-berceau et s'ouvre par des baies géminées sur la nef. Il est éclairé par de grandes fenêtres en plein cintre. Le second, plus bas, ne reçoit pas le jour directement, pourvu de voûtes en demi-berceaux et de demi-voûtes d'arêtes. Il s'ouvre sur le collatéral intérieur par de petites baies. La nef ne reçoit donc qu'un éclairage indirect hormis du côté ouest.

Le chœur comprend deux travées droites et une abside dégagée, éclairée par une rangée de fenêtres hautes, en plein cintre. Un simple passage l'enserre et réunit les tribunes du chœur qui sont voûtées en demi-berceaux. Le chœur est pourvu d'un déambulatoire voûté d'arêtes sur ses parties droites et d'un berceau annulaire sur la partie tournante. Quatre chapelles rayonnantes se répartissent de part et d'autre d'une cinquième chapelle d'axe, plus profonde. L'éclairage est donné par des baies en plein cintre surmontées d'un oculus, situées entre les chapelles, selon un parti d'origine antique que l'on retrouve à Saint-Jacques-de-Compostelle.

Il faut savoir que la basilique, commencée en pierre, a été achevée en brique. Une observation attentive de l'appareil utilisé pour la construction permet d'ailleurs de suivre la progression des travaux.

Les travaux ont débuté par le chevet, vers 1080, élevant les parties basses ainsi que les portails nord et sud du transept. Dans ces parties les plus anciennes, tout d'abord construites, les murs sont en pierre et brique, mais la pierre prédomine nettement jusqu'au niveau des tribunes, avec une certaine recherche de décor mural, souvenir de l'époque mérovingienne transmis au fil des âges. Des cordons de billettes à trois rangées entourent les fenêtres. On remarque entre les voussures, ainsi qu'aux portails nord et sud du transept, qu'une forme de pierre se trouve remplie par de la brique.

Après un arrêt, les travaux ont repris avec le chœur, l'abside et les parties hautes, ainsi que les tribunes du transept à la fin du XIe siècle. On remarque alors dans la partie haute du chevet étagé par la tribune et l'abside que la brique prédomine ainsi que dans le mur occidental du transept. Cela est bien visible aux encadrements de fenêtres, moulurés, ainsi qu'aux colonnettes et chapiteaux des piédroits. La progression est visible dans les collatéraux de la nef : seuls les angles des contreforts sont en pierre, tout le reste est en brique, et dans les parties hautes de la nef, construites au début du XIIe siècle, la brique l'emporte nettement.

A la mort de Raymond Guérard en 1118, les collatéraux et trois travées de la nef sont construits. Ces trois travées sont facilement reconnaissables des suivantes : les arcs-doubleaux à double rouleau retombent sur une colonne engagée avec un dosseret. Les grandes arcades sont à double rouleau de la même façon, et l'on voit tout un décor roman aux baies géminées des tribunes.

Dans les autres travées, les arcs-doubleaux simples sont portés par des colonnes engagées dans une pile cruciforme, et les colonnes des tribunes sont en brique.

Après le grand élan donné par Raymond Guérard, les chanoines durent, pour poursuivre, mettre les fidèles à contribution dans les chantiers du cloître ou du clocher. Il ne fallut pas moins de trois étapes pour que ce dernier soit achevé.

Ce clocher reproduit le modèle de la châsse gothique faite pour contenir les reliques de saint Sernin entre 1258 et 1283. Le premier étage est fait d'arcatures aveugles reposant, à la croisée du transept, sur une coupole portée par des trompes. Les huit nervures rayonnantes autour de la clé centrale sont décorées d'imbrications comme le furent souvent les sculptures romanes de Saint-Sernin.

Sur les chapiteaux, on peut voir un décor de mufles de lions, tandis que d'autres sont simplement épannelés. Les deux étages suivants sont identiques, percés de baies en plein cintre tandis que les deux derniers portent des arcs gothiques en forme de mitre.

Le chantier de la nef s'est prolongé encore à l'époque gothique. Des retards ont empêché l'achèvement de la façade et seules les parties basses du projet initial, à savoir un portail géminé cantonné de deux tours, ont été réalisées, au XIIe siècle. Lors de la reprise des travaux, en effet, ce projet a été abandonné et deux salles voûtées sur croisées d'ogives installées au rez-de-chaussée des tours. La façade se présente finalement sous forme d'une porte double surmontée au début du XIIIe siècle par cinq arcades entourant les fenêtres en plein cintre qui éclairent la grande coursière. Une grande rose est percée dans le haut du mur. La façade restée inachevée est toute construite en brique. Il faut imaginer l'ensemble avec un seul toit couvrant le vaisseau de la nef et la tribune. Le décrochement actuel qui souligne l'étagement de l'élévation intérieure n'est dû, en effet, qu'à une restauration du XIXe siècle.

Saint-Sernin, grande église de pèlerinage, offre l'exemple d'une architecture majestueuse mais il ne faut pas oublier qu'elle possède également des sculptures d'un grand intérêt, représentatives seules de plusieurs ateliers à différentes époques. Les sculptures à l'intérieur de l'église ne sont pas les plus marquantes. Les plus anciennes sont situées au chevet et ne montrent que quelques animaux ou feuillages très linéaires sur les chapiteaux. On voit apparaître dans les parties hautes du déambulatoire et du rond-point des motifs décoratifs qui seront utilisés à Saint-Sernin jusqu'à la fin du XIe siècle, tels que des feuillages imitant le corinthien, des palmettes, fleurons, ou boules sur les corbeilles et tailloirs des chapiteaux. Les scènes historiées demeurent encore un peu frustes.

Une œuvre exceptionnelle, par contre, est la porte sud du transept ou porte des Comtes datée des années 1090. Son nom vient de sa proximité avec l'enfeu où sont enterrés les comtes de Toulouse. Plaquée contre la face sud du transept, elle est divisée en deux par un pilier central correspondant à l'intérieur à une pile du collatéral du transept. Cette structure a été imposée par le plan de l'édifice. Mais à cela il manque le tympan, élément essentiel qui a été supprimé pour gagner de la lumière à l'intérieur de l'église. Le décor se répartit donc de part et d'autre de l'archivolte, mais victimes du vandalisme à la

Page 135 :

Vue nord-est

Les parties les plus anciennes du monument sont au chevet, caractérisées par l'emploi d'un appareil mixte. En effet, Saint-Sernin commencée en pierres et briques a été achevée en briques seules. Ces observations ont permis d'établir une chronologie : de 1180 à la mort de Raymond Gayrard, le chantier a suivi un bon rythme vite ralenti ensuite par les chanoines qui durent faire appel aux fidèles pour achever la construction tandis qu'eux se consacraient au cloître et au clocher.

Ce dernier, élevé en plusieurs fois à la croisée du transept, se compose d'une grande pyramide octogonale de brique de cinq étages, couronnées d'une flèche. Des cinq étages, seuls les trois premiers sont romans. Recopié aux Jacobins dès la fin du XIIIe siècle, ce clocher a servi de modèle à tous les clochers de brique polygonaux dans la région Languedoc et Pyrénées.

C'est dans la basilique Saint-Sernin qu'ont surtout œuvré les sculpteurs de l'atelier toulousain contemporain de celui du porche de Moissac, faisant de Toulouse un foyer très vivant de diffusion artistique et religieuse. Plusieurs ateliers se sont succédé caractérisés chacun par un style bien particulier. Des similitudes ont été trouvées au cours des diverses étapes de cette évolution avec des sculptures de sanctuaires espagnols tels que Jaca, León ou Saint-Jacques-de-Compostelle.

Révolution, de nombreuses statues ont disparu. Sur la droite on reconnaît cependant saint Sernin et un disciple, grâce à une inscription. Des têtes humaines ou animales sont sculptées sur les modillons à copeaux qui soutiennent la corniche. Les chapiteaux proposent un décor intéressant, sous forme de plusieurs scènes historiées en rapport avec le Salut et la Damnation telles que la Parabole de Lazare et du mauvais riche et plusieurs péchés souvent dénoncés au Moyen Age, l'avarice ou la luxure.

Certains détails identiques, particulièrement des personnages assez raides aux attitudes malhabiles dans des étoffes lourdes sculptées de gros plis, permettent de penser que le même atelier a sculpté cette porte et les chapiteaux visibles à l'intérieur de l'édifice.

Peu après s'imposera un autre atelier à l'occasion de la commande du maître-autel que passe Bernard Gilduin. En marbre des Pyrénées, daté de 1096, il est en parfait état de conservation (excepté son angle sud-ouest). Pour faciliter les besoins du culte, il est maintenant installé à la croisée du transept. La forme de la table dérive en droite ligne du groupe de celles qui furent produites par les ateliers de Narbonne de la fin du Xe au XIe siècle. L'origine en remonte simplement aux tables utilisées par les païens lors de leurs repas et christianisées à Narbonne dès la fin de l'époque carolingienne. Elles ont une forme rectangulaire.

Ici le décor historié est remarquable : sur une face, on peut voir le Christ en gloire, jeune avec des anges et sur le côté nord, le Christ imberbe, accompagné de la Vierge, de saint Jean, de saint Pierre et de saint Paul. Sur la tranche postérieure sont sculptés des oiseaux affrontés en série, deux par deux, et semblables à ceux de Moissac. Cette table remarquablement décorée porte la signature de l'artiste sous forme d'une large inscription. On attribue au même atelier sept bas-reliefs de marbre, situés dans le déambulatoire et représentant Dieu en majesté, avec les symboles des évangélistes, ainsi que des anges et des apôtres. On remarque d'ailleurs les progrès de la sculpture : la recherche du relief est plus sensible ainsi que le mouvement, les personnages sont moins frontaux, et les yeux sont percés pour accentuer l'impression de vie. L'atelier de Bernard Gilduin, ainsi qu'on le nomme, se caractérise par une recherche de vigueur dans le relief, une plus grande autonomie du corps humain par rapport à son support et à l'architecture. On verra dans les chapiteaux sculptés à la naissance des voûtes du transept l'évolution suivante du style.

La porte Miégeville prolonge encore le style de Bernard Gilduin et l'idéal humaniste des environs de 1100. Cette porte est située face à la rue menant au centre de la ville, ce qui explique son nom. Trois chapiteaux historiés ont été sculptés sur les quatre faces. L'un représente le Massacre des Innocents et les deux autres l'Expulsion d'Adam et Eve et les scènes de l'Annonciation et de la Visitation. Un lion en assez fort relief est visible sur le quatrième chapiteau, un peu postérieur. L'ensemble de la porte forme une composition iconographique complète et très caractéristique de l'art roman dans son plein épanouissement.

Le tympan porte l'Ascension, tandis qu'au linteau les douze apôtres tournés vers les nuées s'apprêtent à aller annoncer la bonne nouvelle. Deux grandes figures d'apôtres sur des animaux qu'elles foulent à leurs pieds se dressent de part et d'autre : saint Pierre avec son bonnet côtelé et ses sandales porte les clés et donne la bénédiction. Il est entouré de deux anges. A gauche, saint Jacques entouré de deux branchages en une figuration identique à celle que l'on peut voir au portail des Orfèvres de Saint-Jacques-de-Compostelle, surmonte des figures nues dans des rinceaux. Certains des modillons qui soutiennent la corniche sont sculptés de très belles têtes. Dans toutes ces sculptures, l'influence du monde antique est encore plus sensible, de même que les relations affirmées avec le monde ibérique. De grands aplats prennent et accrochent la lumière sur les corps. Les plis, peu nombreux, sont bien marqués, les cheveux sont abondants autour des visages lourds et toujours peu expressifs.

Le portail occidental, lui, est resté inachevé. Il comprend deux baies géminées sans tympan, de même qu'à la porte des Comtes, mais celles-ci sont ornées de six chapiteaux sculptés de lianes, feuillage, animaux, en fort relief. Des bas-reliefs de marbre existaient également. Ils ont disparu à la Révolution mais le musée des Augustins en conserve quelques fragments.

Un nettoyage a permis la découverte de peintures murales intéressantes pour le décor roman. Une des plus importantes se trouve sur tout un panneau du collatéral ouest du bras nord du transept. Les motifs sont superposés en cinq bandes horizontales, avec des scènes telles que la Résurrection du Christ en gloire en deux registres, s'achevant par une vision de l'Agneau.

Les nombreux objets qui formaient le mobilier à l'époque romane ont disparu, il n'en reste que peu de choses dont un grand Christ de bois recouvert d'une âme de cuivre martelé ou encore un olifant du XIe siècle que l'on nomme le "Cor de Roland".

Le cloître a malheureusement été mis en vente en 1798 et acheté par un maçon qui le démolit afin d'y installer un jardin. Aucun dessin ne renseigne sur son aspect d'origine. L'étude des chapiteaux qui ont été retrouvés a prouvé qu'il était un peu postérieur à l'abbatiale ; vingt-trois d'entre eux sont au musée des Augustins et se caractérisent par de petits entrelacs végétaux avec des animaux et une flore très locale. Deux scènes historiées exceptionnelles existent également : sur l'une on voit des personnages acrobates et des animaux en mouvement sur la corbeille pris dans des entrelacs, ainsi que des oiseaux affrontés et des figures de danseuses en tout sens, d'influence poitevine. Sur la seconde, huit anges aux longues tuniques brodées luttent contre des démons sous la forme de serpents ailés.

Pages 136/137 :

La crypte

Outre les reliques de saint Sernin (contraction de saint Saturnin qui subit au IIIe siècle le martyre attaché à un taureau furieux), la basilique s'enorgueillissait de posséder également d'autres corps saints parmi lesquels, selon la tradition locale, six des apôtres du Christ.
Du coup, le trésor avec ses reliquaires était devenu si important qu'il fallut creuser une seconde crypte au-dessous du niveau de celle où se trouvaient les restes de saint Sernin. Le principe était que les pèlerins ne pénétraient pas dans le caveau funéraire mais contemplaient le tombeau à travers une petite ouverture carrée ou "fenestella" dans le déambulatoire dit aussi "tour des corps des saints". Au XIIIe siècle, le corps de saint Sernin fut élevé et placé dans le chœur derrière le maître-autel. Puis en 1283 il fut placé au sommet d'une grande châsse surmontée d'un baldaquin à deux étages. L'étage inférieur existe encore dans la crypte, remplacé au XVIIIe siècle par le monument actuel qui porte sur le tombeau la scène en relief du martyre du saint.

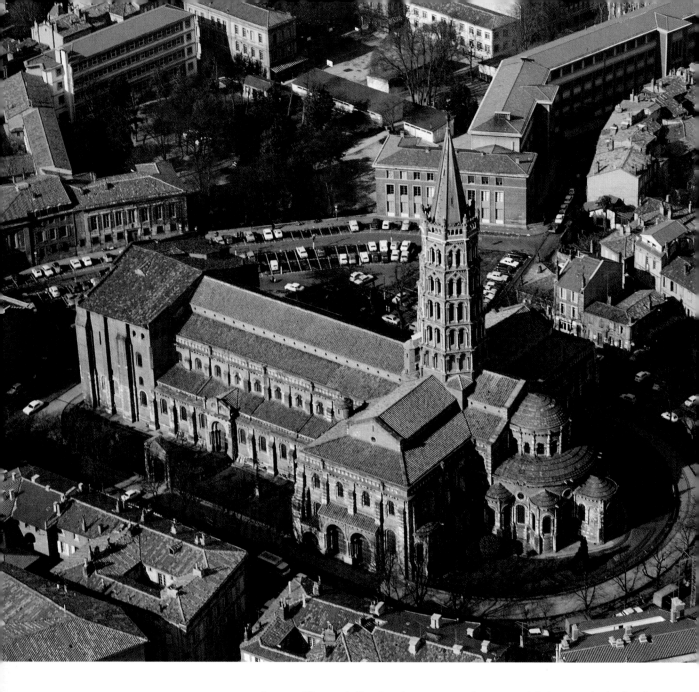

Ci-dessus :

La cathédrale

Saint-Sernin est la construction
romane la plus soignée et la plus
achevée de France, tant pour la
dignité du monument lui-même, que
pour la variété des figures sculptées
qu'il offre aux yeux des visiteurs ou
pèlerins. Le martyre du malheureux
évêque Saturnin, fondateur de
l'église de Toulouse, en 250, par
Décius, est à l'origine de la fondation

de cette illustre église. Les images
surgissent alors lorsque l'on évoque
les foules innombrables qui sont
venues tout au long du Moyen Age
honorer les saintes reliques.
Les constructions s'étaient adaptées
pour accueillir les pèlerins et
permettre leurs dévotions. La
basilique Saint-Sernin avec la
silhouette dominante de son haut
clocher de brique est le modèle le
plus achevé de ces grandes églises
conçues pour recevoir des multitudes
de pèlerins.

Les caractéristiques principales de ces
églises sont la nef à double bas-côté,
le transept, également à bas-côtés, les
tribunes, le déambulatoire à
chapelles rayonnantes permettant la
circulation autour de la crypte à
reliques.
Ce plan est celui que l'on retrouve à
Conques, ou encore à Saint-Jacques-
de-Compostelle ; la destruction de
l'abbatiale de Cluny a fait de Saint-
Sernin l'église romane la plus grande
et la plus complète existant sur le sol
français.

Le Thoronet - Sénanque - Silvacane

Leur statut de monastères cisterciens, ainsi que leur situation isolée au fond d'un vallon, des similitudes de style et de plan et la répartition de leurs bâtiments, ont fait que les trois abbayes : Le Thoronet, Sénanque et Silvacane sont souvent désignées comme "Les Trois Sœurs provençales". Elles témoignent, ainsi que deux autres monastères d'hommes et quelques abbayes de moniales, de la diffusion clairsemée de l'ordre cistercien en Provence. Ces monastères cisterciens étaient établis couramment en des lieux perdus, totalement isolés, en tant que demeures du silence, voués au service divin avant toute autre chose.

Les bâtiments nécessaires à la vie conventuelle se trouvaient groupés autour du cloître. L'église est le lieu sacré par excellence, consacré à la prière, où tout décor se trouve banni afin de respecter l'office et de ne pas distraire les moines, selon les principes de saint Bernard. Cela explique que les églises cisterciennes soient toujours des édifices très dépouillés et d'une grande pureté architecturale.

Les deux abbayes, Le Thoronet et Sénanque, sont des fondations de l'abbaye de Mazan, en Vivarais, elle-même fille de l'abbaye de Bonnevaux. Silvacane située sur les bords de la Durance est, issue de Morimond, quatrième abbaye "fille" de Cîteaux. Toutes trois ont conservé intactes leurs églises dans lesquelles on peut retrouver de nombreux caractères communs.

L'église du *Thoronet* est la plus ancienne, située entre Aix-en-Provence et Fréjus. Sa fondation est due à Raymond de Bérenger, comte de Barcelone et marquis de Provence, qui donna aux moines de Mazan un domaine situé dans une petite vallée arrosée par la rivière de Florieille, où les religieux s'installèrent en 1136. Par commodité, le monastère fut transféré peu après au Thoronet, sur un autre terrain également cédé par Bérenger. Les moines devinrent rapidement très nombreux et leur domaine riche, grâce à la générosité de grandes familles de la région, dont les seigneurs de Castellane. Le relâchement de la vie religieuse au XIVe siècle puis la commende et ses effets désastreux ainsi que les guerres de Religion aboutirent finalement en 1787 à la suppression de l'abbaye. Par chance, elle fut rachetée par l'Etat en 1854, et a ainsi échappé à la destruction. Restaurée depuis par les Monuments historiques, elle demeure actuellement un des plus beaux ensembles de constructions cisterciennes de la région.

Le plan très simple de l'église construite entre 1160 et 1190 est dans la lignée directe des premières églises cisterciennes, et frappe avant tout par son ampleur que l'on retrouvera à Sénanque et à Silvacane. Il comprend une large nef avec des collatéraux de trois travées, suivie d'un ample transept. Le chevet se compose d'une seule travée droite et se termine par une abside semi-circulaire. Deux chapelles s'ouvrent sur chacun des bras du transept.

La partie centrale de la façade est seulement percée de deux fenêtres en plein cintre et d'un petit oculus ainsi que de deux autres fenêtres en plein cintre donnant sur les bas-côtés. Ces ouvertures, ainsi que l'ensemble de la façade, sont dénuées de tout décor. L'étroit passage des frères convers s'ouvre perpendiculairement à la porte gauche. Devant une telle nudité, seule la perfection absolue de l'appareil de pierres taillées, notamment dans les claveaux en plein cintre, peut parler au visiteur.

La nef est divisée en trois travées par des arcs-doubleaux à simple rouleau, qui introduisent un rythme manquant à l'abbaye de Sénanque. Selon une disposition fréquente dans les églises d'Auvergne, de Provence, du Midi et du Sud-Ouest également visible à Sénanque, les bas-côtés sont couverts d'une voûte en quart de cercle qui contrebute ainsi la voûte principale de la nef. Cette voûte sur les bas-côtés est soutenue par des arcs-doubleaux portés par un pilastre adossé au mur extérieur et qui bute contre le mur de la nef au-dessus des piliers.

Un arc triomphal légèrement brisé sépare le transept du sanctuaire. Les grandes arcades de la croisée sont en arc brisé, à deux rangs de claveaux, soutenues par des colonnes engagées appuyées à un dosseret. Un oculus sans aucun décor est percé dans le mur au-dessus de l'arc triomphal et fait rayonner la lumière dans le sanctuaire qui n'est éclairé que par trois baies en plein cintre, ébrasées et ornées de quelques ressauts. Une meurtrière éclaire chaque absidiole. Un petit clocher carré, en pierre, s'élève au-dessus de la croisée du transept ; il est percé sur ses quatre faces d'une baie en plein cintre et surmonté d'une flèche de pierre de même forme, mais tardive.

Les bâtiments réguliers se trouvant situés au nord de l'église, on accède, au sortir du collatéral nord, dans le cloître indéfiniment parcouru par les moines en prière ; il offre un cadre incomparable à la méditation, propice selon les heures de la journée aux jeux d'ombre et de lumière sur les pierres. Tout comme celui de Silvacane, ce cloître est une merveille de simplicité et d'harmonie. On peut être frappé par son aspect très austère, dû autant à ses proportions puissantes qu'à l'absence d'ornementation.

Page 144 :

Silvacane, intérieur

Le nom même de Silvacane, par ses sonorités chantantes, évoque le site provençal typique. Pour qui la découvre, une grande austérité se dégage de toute l'église, que ce soit la façade réduite à sa plus simple expression ou l'intérieur fait d'une rigoureuse géométrie de volumes. Cela s'explique par une volonté ferme de servir dans sa pureté initiale la pensée cistercienne qui prônait, non pas l'agrément, mais une œuvre fonctionnelle dans laquelle le décor était réduit au minimum. Sa seule fonction était de souligner les lignes architecturales, sans distraire de sa prière l'esprit du visiteur. Il s'agit là d'un désir qui semble bien ascétique, mais un tel dépouillement ne fait qu'exalter la beauté pure des formes et le règne de l'esprit, en ces lieux de prières et de recueillement. Aujourd'hui restaurée par le service des Monuments Historiques, malgré son abandon religieux, Silvacane demeure un lieu idéal pour les soirées historiques et artistiques.

Au Thoronet il a la forme particulière d'un trapèze. De plus, seule la galerie méridionale se trouve au même niveau que le sol de l'église ; les autres sont toutes en contrebas par suite d'un fort dénivellement de terrain. Les murs épais sont percés de baies en plein cintre, elles-mêmes divisées en deux arcades géminées soutenues par une colonne trapue dont le chapiteau, sans aucun décor, porte un tympan ajouré d'un oculus.

Près de l'église, dans la galerie est, on trouve "l'armarium", simple petite salle faisant suite à la sacristie et où les moines trouvaient des livres à leur disposition. Pour suivre la pente du terrain, la galerie est toujours en dénivellation et l'on accède au chapitre, situé en contrebas, par quatre marches. La salle du chapitre, lieu essentiel de la vie conventuelle où se déroulaient les grands événements de la vie communautaire, est divisée en six travées par de fortes colonnes. Leurs chapiteaux sont ornés de feuilles d'eau, fleurs et pommes de pin.

L'office tient une place telle dans la vie des moines que le dortoir est relié directement à l'église par un escalier. On le découvre alors de son extrémité sud d'où l'on peut apprécier d'un seul coup d'œil sa perfection. La lumière vient des fenêtres latérales, en double rangée, qui rythment avec les arcs-doubleaux le volume de la pièce. On remarquera de plus une subtile dissymétrie tout en nuance entre le côté est, où l'encadrement des fenêtres a été très légèrement épaissi, ce qui leur donne une allure oblique, et le côté ouest où l'encadrement est resté parfaitement droit.

De la terrasse qui surmonte le cloître, on aura une vue en tout point paisible quelle que soit la perspective vers laquelle on se tourne. En poursuivant le tour du cloître on verra, au sud-est, le grand cellier voûté en berceau brisé. Malgré son actuel abandon, il reste, avec ses meules et sa cuve de pierre, très évocateur de la vie matérielle des moines non négligeable à côté de leur vie intérieure.

La seconde des Trois Sœurs provençales, l'abbaye *de Sénanque*, a été fondée en 1148 par les moines venus de Mazan dans la solitude d'un étroit vallon. Les seigneurs de Simiane et de Venasque ont généreusement doté l'abbaye qui a très vite prospéré, et quatre ans après sa fondation essaimait à son tour en fondant Chambon. La décadence s'amorce irrémédiablement au XIVᵉ siècle et l'abbaye ne se relève pas, en particulier, malgré toute l'énergie déployée par les moines commendataires, du massacre de ses moines commis par les Vaudois en 1544. Vendu comme bien national en 1791, le monastère eut la chance de tomber entre les mains d'un acquéreur respectueux des bâtiments, grâce auquel ils sont restés intacts, permettant une reprise de la vie monacale sous le second Empire.

L'église de Sénanque, dont la construction s'est étendue des années 1160 au début du XIIIᵉ siècle, présente la particularité de ne pas être orientée, c'est-à-dire tournée vers l'est comme l'étaient habituellement toutes les églises au Moyen Age. Son sanctuaire regarde vers le nord : ce fait exceptionnel est dû à l'étroitesse de l'espace imparti à l'édifice. De ce fait toute la construction est donc décalée : le transept va d'est en ouest et la façade de l'est au sud. C'est pourquoi aussi les bâtiments réguliers se situent à l'ouest et non au nord.

Le plan de l'église est identique à celui du Thoronet mais l'appareil utilisé pour la construction ainsi que les joints sont plus soignés. La construction débuta par le sanctuaire, le transept, les chapelles avec leurs voûtes ainsi que les murs extérieurs de la nef, entre 1160 et 1178. La nef, elle, fut construite lors d'une seconde campagne, vers 1180. Elle est couverte en berceau brisé, sans arcs-doubleaux.

Nul vaisseau n'est plus simple que celui-ci. Jamais le parti architectural cistercien n'a été observé plus rigoureusement qu'ici en un dépouillement excessif et grandiose.

Le transept est remarquablement long. La croisée est couverte d'une coupole octogonale, à pans irréguliers, dont les trompes sont portées par des pilastres cannelés. Sa présence est un peu inusitée dans l'art cistercien, mais peut s'expliquer par la présence d'une coupole semblable à l'abbaye mère de Mazan, en Vivarais. Cette coupole à la croisée du transept crée une scission majeure des volumes entre les deux parties de l'église, qu'accentuent encore les quatre marches qu'il faut gravir pour pénétrer dans le sanctuaire. La nudité des pierres ou des fenêtres est moins flagrante ici, car toute l'attention se concentre sur l'autel central, baigné d'un rayonnement invisible au milieu de ce vaste volume en hémicycle. Le sanctuaire offre en effet une vue d'une grande plénitude, éclairé par trois fenêtres.

Chacune des chapelles des croisillons, éclairée par une seule fenêtre est couverte d'une voûte en berceau puis d'un cul-de-four. La décoration est réduite à très peu de chose : des impostes soulignent la naissance des voûtes et des grandes arcades tandis qu'on trouve quelques chapiteaux finement sculptés sur les colonnes engagées à la croisée du transept.

Les chapelles ont encore leurs autels du XIIᵉ siècle très simples, faits d'une table de pierre reposant sur un bâti avec une base. Il n'y a pas de piscine pour les ablutions, mais de petites colonnes dont le chapiteau est creusé en forme d'entonnoir avec un conduit pour l'écoulement de l'eau.

Un petit clocher carré très proche de celui de Silvacane couronne la croisée du transept. Chaque face est percée d'une fenêtre en plein cintre partagée en deux baies géminées par une fine colonnette ornée d'un chapiteau à feuilles d'eau. Une pyramide de pierre s'élève au-dessus.

Le cloître de Sénanque, plus orné que l'église, est à parcourir en silence en se laissant pénétrer par les jeux de lumière, dans le calme et l'ampleur des galeries voûtées en berceau en plein cintre. Les quatre

Page 145 :

Silvacane
Trois abbayes subsistent en Provence, si proches par leur date de fondation, règle de vie et dispositions générales, qu'on les a nommées "Les trois sœurs Provençales". L'aînée, Le Thoronet a été fondée en 1136, la seconde, Silvacane, en 1144 et Sénanque, la dernière en 1148. Toutes trois ont suivi en stricte observance la règle cistercienne de vie jusqu'à la fin du XIIIᵉ siècle. Puis ces monastères édifiés dans des lieux solitaires se sont trouvés à la merci des hordes ravageuses qui ont sévi dans la région près d'un siècle durant. Elles demeurent cependant exemplaires pour avoir conservé dans leur intégrité les bâtiments claustraux construits autour des églises, très sobres et dépouillées. Silvacane se trouve être l'une des rares fondations religieuses de France destinée à abriter des sépultures, en l'occurence celles des seigneurs des Baux, les fondateurs. A leur demande douze moines de Morimond se sont établis en 1146 sur les bords de la Durance. L'abbaye connut un essor rapide jusqu'au XIVᵉ siècle. Après bien des dégâts dus aux inondations de la Durance, l'abbaye fut désertée. Vendue comme bien national en 1791, elle a été transformée un temps, en ferme.

Page 146, haut :

Le cloître du Thoronet

De forme trapézoïdale, le cloître dénué de tout ornement, aux proportions puissantes et à l'aspect austère, ouvre par des baies en plein cintre sur un jardin.

Les arcades en plein cintre, percées dans le mur épais, sont dédoublées par deux arcades géminées, soutenues par une robuste colonne. Leur chapiteau ne porte aucun décor et sert seulement de support au tympan ajouré par un oculus.

Tout, dans ce remarquable ensemble abbatial surgi au XIIᵉ siècle dans un site verdoyant, fertile, mais isolé par son accès difficile, concrétise pleinement la pureté de l'esprit cistercien, cher à saint Bernard.

Page 147 :

Nef du Thoronet

Le plan de l'édifice, construit en pierres dures, est tout à fait dans la lignée des premières églises cisterciennes se composant d'une large nef avec des collatéraux de trois travées, d'un large transept et d'un petit chevet comprenant, lui, une travée droite suivie d'une abside semi-circulaire.

Trois petites baies éclairent le sanctuaire, mais que ce soit à l'intérieur ou à l'extérieur, l'ordonnance demeure des plus simples et ne présente aucun détail ornemental qui puisse souligner la découpe des formes architecturales. Un tel édifice semble être l'illustration parfaite de la pensée de saint Bernard ainsi énoncée :

"Vous qui avez fait le plus merveilleux échange, vous qui avez renoncé à tout ce que vous aviez le droit de posséder dans le monde pour vous donner sans réserve à l'auteur même de ce monde et posséder celui qui est lui-même la part de l'héritage des siens."

galeries s'ouvrent toutes par des arcades en plein cintre, groupées trois par trois, sur le préau. On remarque une harmonieuse alternance entre les gros piliers massifs et deux groupes de colonnes géminées. Ces groupes de colonnettes ont des chapiteaux finement sculptés de feuilles et de fleurs se terminant en volutes, de torsades et palmettes diverses, le tout faisant du cloître un magnifique ensemble architectural très provençal, en parfait état de conservation.

La disposition des locaux est identique à celle de Silvacane. En sortant de l'église par le collatéral, on entre donc dans la salle du chapitre qui ouvre sur le cloître par une porte étroite et en plein cintre, mais aussi par quatre grandes baies jumelées ayant des colonnettes très proches de celles du cloître. La salle est couverte d'une voûte sur croisée d'ogives soutenue par deux piliers centraux fasciculés. En sortant, face au cloître, on remarquera le culot soutenant le doubleau de la voûte du cloître, sculpté d'un beau diable grimaçant. A l'extrémité nord-ouest du cloître, on trouve le chauffoir, où un seul robuste et magnifique pilier porte les retombées de quatre voûtes d'arêtes. Le dortoir est d'une grande simplicité.

L'abbaye de *Silvacane* a été fondée en 1144 par Raymond de Baux, sur les bords de la Durance dans une magnifique et immense vallée marécageuse comme le rappelle son nom de "Silvacane" qui évoque une forêt de roseaux. Très tôt les moines ont demandé à s'intégrer à l'ordre de Cîteaux, ce pourquoi l'abbaye de Morimond y envoie dès 1147 quelques moines.

La nouvelle abbaye bénéficie des dons de Raymond Bérenger, marquis de Provence, ainsi que de l'aide du chapitre d'Aix et prospère rapidement, de telle sorte que dès 1183 elle peut fonder à son tour une abbaye à Valsainte, près d'Apt. Pendant plus de cent ans la ferveur et la prospérité se maintiennent, puis le déclin commence à se manifester suite à une rivalité avec l'abbaye bénédictine de Montmajour. De plus elle est cruellement atteinte par les ravages dus au passage des brigands et aux désastres naturels. Après bien des péripéties, elle sert de repaire à une bande de brigands qui y soutiennent un siège lors des guerres de Religion et sera enfin transformée, à la Révolution, en colombier, tandis que le cloître sert de poulailler, le réfectoire de grange et le chapitre, d'écurie. Après cette destinée peu glorieuse, elle est enfin rachetée par l'Etat en 1846 et restaurée depuis.

L'abbaye est de plan typiquement cistercien : les lignes et angles sont tous droits et le chevet réduit à sa plus simple expression, puisqu'il est plat comme à Fontenay, selon les principes rigoureux de saint Bernard.

L'église Notre-Dame a été construite entre 1175 et 1230, en pierre rosée du Lubéron si parfaitement taillée qu'elle permet un assemblage à joints vifs, en une technique parfaitement éprouvée.

La façade occidentale est d'une grande rigueur. La partie centrale cantonnée par deux larges contreforts donne accès à l'église par une porte dotée d'une archivolte et d'un tympan sculptés, du XVe siècle, aux armes du chapitre d'Aix, auquel l'abbaye fut pendant un temps, concédée. Au-dessus de cette porte, seules trois grandes fenêtres surmontées d'un large oculus procurent de la lumière à la nef. L'aspect très froid et anguleux du sanctuaire frappe d'emblée lorsque l'on pénètre dans l'édifice, tandis que la structure générale est pour le reste identique aux autres églises romanes.

De puissants piliers portant les arcs-doubleaux d'une voûte en berceau scandent les trois travées de la nef, dont les murs s'élèvent, compacts et aveugles. Le transept d'une seule travée crée une discontinuité avant le sanctuaire. Les quatre chapelles ont reçu une voûte sur croisée d'ogives qui s'accorde facilement avec la sobriété du reste de l'architecture. Dans celle du sud, on peut voir l'arc, fait d'un gros et unique tore, classant cette ogive parmi les plus anciennes de la région, avec celles du Thoronet vers 1180. Les chapelles ainsi que les bas-côtés sont percés de baies en plein cintre. Dans la seconde travée de la nef, côté sud, a été creusé le sépulcre de Bertrand de Baux et de sa femme Tiburge.

On admirera, en se retournant, ce bas-côté sud pour son ampleur due à sa largeur, ses piliers d'une grande force et le rayonnement de la lumière, toujours remarquable.

Au fond du croisillon nord se trouvent l'escalier de la sacristie et celui conduisant au dortoir. Dans le sanctuaire, la sobriété est telle que l'essentiel se résume à l'autel. Par le collatéral nord on accède au cloître, le plus simple des trois, qui date seulement du XIIIe siècle et semble, par l'épaisseur de ses murs, un peu austère. Tout comme dans l'église, y règne une impression de puissance et de paix. Les autres bâtiments sont plus tardifs.

Pages 148/149 :

Le cloître de Sénanque

La magnifique abbaye de Sénanque, aux toits couverts de lauzes, fondée au XIIe siècle par les cisterciens, a connu une destinée pour un temps similaire à celle de Silvacane et du Thoronet : prospérité temporaire puis déclin dès le Xe siècle, et différente dans la suite : la vie monastique s'y est en effet poursuivie après la Révolution. Expulsés par deux fois sous la IIIe République, les moines cisterciens y revinrent en 1929, avant de regagner leur maison mère de Saint-Honorat-de-Lérins.

L'abbaye, qui dépend toujours des cisterciens, a été restaurée avec soin et se trouve être maintenant un centre culturel où se tiennent des congrès et des expositions ; elle abrite même un musée de la préhistoire du Sahara.

Le cloître, tout comme celui de Fontenay, est beaucoup plus orné que l'église.

En particulier, les consoles sur lesquelles reposent les arcs-doubleaux sont finement sculptées ; de plus les chapiteaux des colonnes ont un décor varié et soigneusement réalisé, de feuilles ou de fleurs. Le tailloir, lui, porte des torsades, palmettes ou entrelacs.

Parfaitement conservé, ce cloître, seulement couvert d'une terrasse plate, est un superbe exemple de l'art roman en Provence.

Ci-contre :

Le chevet de Sénanque

Parfaitement adaptée à l'étroitesse du site vallonné qui lui fut imparti l'église de Sénanque est donc tournée vers le nord et non orientée, cela en dépit de la règle généralement observée tout au long du Moyen Age dans les églises. Son plan est identique à celui du Thoronet, mais la construction s'est déroulée en deux campagnes de travaux.

Ce sanctuaire qui s'achève en hémicycle, de même que les chapelles des croisillons, a été édifié et voûté lors de la première campagne de construction en 1160.

Une travée droite précède l'abside en hémicycle, ainsi que dans les chapelles. Huit fenêtres basses en plein cintre éclairent le chevet mais une seule fenêtre est percée dans chaque chapelle.

Saint-Michel-de-Cuxa

Dès l'époque préromane, Saint-Michel-de-Cuxa est le haut-lieu religieux et artistique le plus important du Roussillon. Une première installation ayant été détruite par une crue de la Têt, les moines sont allés s'établir au pied du mont Canigou, à Cuxa, où ils édifient une petite église dédiée à saint Germain. La protection des comtes de Cerdagne, ainsi que l'application de la coutume de la mainmorte, leur procurent rapidement la prospérité, les portant à la tête d'un domaine important.

Ils s'insèrent dans le jeu des relations internationales dès le Xe siècle, en favorisant la politique pontificale d'intervention dans les comtés catalans et entraînent les Pyrénées dans ce mouvement. Une intense activité artistique accompagnera ces progrès spirituels et temporels. La preuve en est que le grand abbé, Garin, sera peu avant l'an mil en rapport avec Gerbert d'Aurillac, un génie de son temps, fin politique, écrivain, savant, moine et surtout futur pape (il le deviendra sous le nom de Sylvestre II). La reconstruction des deux sanctuaires du monastère devenus trop petits s'est donc imposée. L'église Saint-Germain, trop pauvre, fut reconstruite par le comte de Cerdagne en matériaux plus solides et consacrée en 953. Puis le Comte décide de reconstruire également le petit oratoire de Saint-Michel, et la dévotion nouvelle à l'archange finira par supplanter le culte de Saint-Germain. Deux textes mentionnent ces événements.

Le chantier ouvert par l'abbé Pons se trouva stoppé à sa mort en 958, et l'on comprend donc que l'abbé Garin lorsqu'il décide de reprendre l'œuvre commencée, n'ait pas hésité à entreprendre certains remaniements du plan de l'église. C'est lui qui fait élever les murs à bonne hauteur, installer une charpente, et un autel de marbre.

L'abbé Oliba ensuite, figure brillante du monde religieux et intellectuel de l'époque, envisage de nouveaux agrandissements dès la première moitié du XIe siècle. Il dispose un magnifique ciborium de marbre autour de l'autel complétant ainsi la décoration du chœur, sans oublier d'autres aménagements réalisés en arrière de l'autel pour le service divin. Après sa mort, les textes deviennent muets quant à la suite des événements.

Le grand cloître et une tribune, proche de celle de Serrabone, sont édifiés au milieu du XIIᵉ siècle. Au XVᵉ siècle on voulut mettre en place des voûtes sur croisée d'ogives, chose qui ne fut réalisée que sur l'abside, tandis qu'une charpente apparente était construite sur la nef. La vente du monastère comme bien national suivit sa confiscation en 1790, entraînant pillage, abandon et ruine, à un point tel que, par la suite, un amateur américain n'hésita pas à s'emparer de diverses parties, les chapiteaux du cloître, le portique d'entrée... On ne peut donc que se féliciter que les temps présents aient permis une remise en état et une restauration de ce vénérable édifice, en particulier depuis l'installation de la communauté cistercienne des moines de Fontfroide. Une approche chronologique de l'édifice facilitera sa compréhension. Deux portes, dont l'une d'origine, donnent accès à l'église. Une autre porte romane du XIIᵉ siècle a été retrouvée dans le bas-côté septentrional. La nef, flanquée de bas-côtés, est dotée d'arcades étroites, soutenues par des supports minces et allongés, retaillés au XVIᵉ siècle, ce qui conféra aux arcs, jusqu'alors outrepassés, un tracé semi-circulaire. Le transept bas et largement débordant a des croisillons voûtés en berceaux et communique avec la nef et les collatéraux par des croisillons outrepassés. Une abside rectangulaire et quatre absidioles couvertes d'un berceau également outrepassé s'ouvrent à l'est, ainsi qu'un étroit passage rappelant par sa présence entre le sanctuaire et les absides, les églises carolingiennes. Le portail qui donne sur ce passage est remarquable par sa forme indéniablement influencée par l'Orient. Les fouilles permettent de dire que le chœur a pris place sur le premier oratoire Saint-Michel. La construction est faite d'une maçonnerie de moellons renforcés par de gros blocs de granit taillés, disposés aux angles. Certains détails à Cuxa, le dessin outrepassé des arcs, ou le type de construction appareillée permettent de percevoir l'influence du monde mozarabe toute proche à l'époque, particulièrement Cordoue.

A l'époque romane, les bas-côtés ont été surélevés ce qui a permis leur éclairage par des fenêtres étroites. Plus tardifs ils ont été voûtés de demi-berceaux. Les murs gouttereaux de la nef ont été surélevés aussi au XIᵉ siècle et ont reçu un décor peint dont il reste quelques traces dans les fenêtres ou le mur sud de la nef.

L'abbé Oliba s'employa surtout à donner une grande extension au chevet par la création de deux absidioles, puis par l'addition à l'est de l'ancienne abside, d'un couloir voûté en berceau (sur arcs-doubleaux) doté de trois absides semi-circulaires voûtées, elles, en cul-de-four. Les bâtiments se trouvent répartis en plusieurs niveaux, à cet endroit, à cause de la forte dénivellation du terrain.

Au plus bas, se trouve l'église de la Crèche, une crypte parfaitement obscure, restée inachevée, et dans laquelle les pèlerins venaient vénérer les précieuses reliques.

Page 154 :
Le cloître

Toutes les richesses du cloître ont été dispersées au XIXᵉ siècle à un point tel qu'en 1878 il ne restait plus en place que neuf arcades de la galerie occidentale. Mais depuis quelques années un regroupement des chapiteaux demeurés en France s'est opéré et les Monuments historiques se sont employés à remonter sur place les sculptures récupérées. Il demeure cependant impossible de parler de reconstitution au sujet de ce cloître, tant la présentation de ces deux galeries seules rend criante l'absence des deux autres.

Les chapiteaux de marbre rosés présentent des motifs décoratifs variés essentiellement floraux ou zoomorphiques : aigles, monstres, lions, etc., aucun n'est historié. Ce décor d'animaux fantastiques est parfaitement adapté au cadre du support, de plus l'épannelage des chapiteaux leur permet d'assumer totalement leur rôle de soutien. On pouvait aussi autrefois observer une curieuse vasque aux ablutions située au centre de l'enclos ; elle est supportée par un socle et six colonnes dont les chapiteaux ont été sculptés de feuilles plates. Elle se trouve aujourd'hui dans une propriété privée.

On remarque dans l'ensemble de ce cloître une volonté tenace d'adapter les formes décoratives choisies à leur cadre plutôt que de reproduire fidèlement la réalité. Plusieurs indices permettent d'avancer comme date d'ouverture du chantier pour le cloître les années 1140-1150.

La tour

Sur l'arrière-plan de frondaisons et de prairies verdoyantes, le clocher se dresse fièrement, évoquant quelque campanile italien. L'abbé Oliba avait voulu la construction de ces deux tours lancées à chaque extrémité du transept. L'influence lombarde s'y retrouve de façon évidente dans leur décor d'arcatures et de baies géminées tout comme dans les tours du Canigou, de Prades ou encore d'Arles-sur-Tech.
A Cuxa, seule reste celle du sud, la tour nord s'étant écroulée en 1839. C'est l'abbé Oliba qui amplifia également de plusieurs sanctuaires l'église souterraine de la Crèche, consacrée à la Vierge, sans aucune source lumineuse et qui est toujours en place.
Par certains traits spécifiques de l'architecture mozarabe que l'on retrouve dans l'église, Saint-Michel-de-Cuxa possède une importance inestimable pour l'étude des rapports entre l'Orient et l'Occident. Cependant quelques traits propres à l'architecture andalouse comme, d'ailleurs, la tradition locale s'imposent dans cette architecture.

Pages 156/157 :

L'ensemble abbatial

Il émane de Saint-Michel-de-Cuxa un charme indéfinissable propre à l'art préroman. Mais on peut également noter que si le cloître et la tour font de Saint-Michel-de-Cuxa l'édifice mozarabe le plus caractéristique de la région, les petites coupoles arrondies de l'église évoquent le site médiéval de Mistra dans le Péloponnèse.

On connaît mieux, grâce aux travaux de déblaiement effectués par les Monuments historiques, la chapelle ou sanctuaire de la Trinité, située au-dessus de cette crypte. Sans doute les deux clochers élevés à l'extrémité des croisillons et dont seul celui du midi subsiste encore sont-ils aussi l'œuvre de l'abbé Oliba. A l'origine les quatre étages non voûtés du clocher qui reste, au sud, s'élevaient à quarante mètres en une tour remarquable de sobriété et de puissance.

Le cloître de Cuxa est l'ensemble le plus important de sculptures romanes du Roussillon, mais il a connu bien des vicissitudes, dès la Révolution et surtout après que le nouveau propriétaire eut songé à établir à sa place un grand bassin à usage industriel, entraînant la dispersion des marbres dans tout le Roussillon, en particulier à Prades dans un établissement de bains. Cela à tel point qu'en 1878, il ne restait plus que neuf arcades dans la galerie occidentale.

De plus un amateur d'art et sculpteur américain parvint même à acquérir en 1913 bon nombre de chapiteaux, ainsi que la galerie du cloître, avant que l'opinion locale ne songe à s'en émouvoir. C'est donc outre Atlantique que se poursuivit la destinée des fragments arrachés au cloître. D'abord disposés chez leur propriétaire, ils furent mis en vente ainsi que les cloîtres de Saint-Guilhem-le-Désert, et Bonnefont en Comminges, qui faisaient également partie de sa collection. Le Metropolitan Museum de New York a pu les acquérir en 1926 grâce à une importante donation de J.D. Rockefeller.

De l'aspect originel du cloître, il nous reste l'aire, créée au prix d'un vaste dénivellement de terrain. Malgré les renseignements donnés par Viollet-le-Duc dans sa description, ou un plan du XVIIIᵉ siècle, il fut impossible de déterminer avec exactitude la place de chaque chapiteau. Les chapiteaux, épannelés, sont taillés dans des cubes de marbre rose. Le décor se répartit en une simple moulure sur le tailloir, puis en volutes d'angle sur l'abaque et s'épanouit sur la corbeille en floraison de motifs fréquemment retrouvés : végétaux, ou animaux tels des aigles déployant leurs ailes largement ou encore des monstres trapus à la gueule féroce. Toutes les figures se suivent et s'enchaînent en un rythme ornemental dicté par l'architecture ; ainsi voit-on des frises de bêtes ou de lions affrontés deux par deux. Plus curieux et plus rare est un personnage d'ascendance orientale évidente, yeux bridés, pommettes et menton saillants, portant une calotte, un pagne et des bottes pointues qui engage la lutte avec des animaux fantastiques. Dans toute la galerie méridionale du cloître, on peut visiblement discerner avant tout la main d'un artiste dit "le Maître du cloître" qui se limite à un répertoire exclusivement floral ou zoomorphique mis en scène avec sûreté et clarté. Un bas-relief aujourd'hui disparu, qui représentait Grégoire, un illustre abbé de Cuxa, a permis par comparaison de dater l'ensemble du cloître vers 1140-1150.

Page en regard :

Saint-Michel-de-Cuxa

L'église Saint-Michel-de-Cuxa est un magnifique exemple de ce que fut l'art préroman en Roussillon, et un édifice de première importance, à des titres divers : archéologiques, historiques et religieux. L'église abbatiale porte la marque distincte des deux grands abbés auxquels elle doit son grand développement spirituel : l'abbé Garin à la fin du Xe siècle et l'abbé Oliba au début du XIe.

Le cloître en marbre, quant à lui, est l'œuvre de l'abbé Grégoire vers 1150. A la suite de bien des vicissitudes, la moitié de ce cloître se trouve aujourd'hui à New York. Ce sont les fameux "Cloisters".

Réduite à sa nature essentielle, Cuxa en a retiré encore plus de force et de profondeur sans rien perdre de son caractère sacré ou de sa grandeur majestueuse, pour demeurer avant tout un lieu de rencontre invariable et inaltérable avec Dieu en dépit des meurtrissures infligées par le temps ou les hommes.